dtv

Ausführliche Informationen über
unsere Autoren und Bücher
finden Sie auf unserer Website
www.dtv.de

NIKOLAUS BREUEL

SCHLOSSPLATZ, BERLIN

Roman

Deutscher Taschenbuch Verlag

Originalausgabe 2015
Deutscher Taschenbuch Verlag GmbH & Co. KG, München
© 2015 Deutscher Taschenbuch Verlag GmbH & Co. KG,
München
Umschlagkonzept: Balk & Brumshagen
Umschlaggestaltung: Wildes Blut, Atelier für Gestaltung,
Stephanie Weischer unter Verwendung eines Fotos von
plainpicture/Glasshouse
Gesetzt aus der Sabon
Satz: pagina GmbH, Tübingen
Druck und Bindung: CPI – Ebner & Spiegel, Ulm
Gedruckt auf säurefreiem, chlorfrei gebleichtem Papier
Printed in Germany · ISBN 978-3-423-28050-1

»Wann, wenn nicht jetzt?
Wo, wenn nicht hier?
Wer, wenn nicht wir?«

Abgelegt

Die See so weit. Mein Staunen.

Als ich mich zurücklehne, setzt der Motor aus. Weißer, beißender Rauch quillt aus dem Auspuff, ein Rucken, dann läuft die Maschine wieder, als hätte sie sich nur verschluckt. Ein belangloser Defekt, denke ich, obwohl auch mein Herz geruckt hat, als wollte es aussetzen, nur eine Sekunde, in der irgendetwas zu viel gewesen ist oder zu wenig. Ich blicke auf den Motor. Diese Dinger müssen viel ertragen hier draußen, bei jedem Wetter sind sie im Einsatz, im Wellengang, im Regen, in der von Salz durchzogenen Gischt. Vielleicht ist es auch ein Staubkorn in der Leitung gewesen, eine Unreinheit, eine Schliere im Sprit. Egal, es ist vorbei.

Ich horche auf das gleichmäßige Brummen der Maschine. Ich stehe am Bug. Weit vor uns ist undeutlich die Hallig zu erkennen. Am Ende des Blickes liegt der Horizont. Die Erde ist ein riesiges Zimmer, die Erde ist ein Raum, in dem wir uns aufhalten, in dem wir existieren, in dem auch ich existiere, hier, auf dem Meer. Decke und Boden krümmen sich zueinander hin, in der Ferne, im Blau. Beinahe so weit wie zum Horizont ist der Weg bis zu festem Boden. Die Küste liegt hinter uns, zwergenhaft geschrumpft bleibt sie mehr und mehr zurück. Das Land ist nur noch ein Strich, der passt zwischen den gespreizten Daumen und Zeigefinger. Der Blick zur Küste ist ein Blick gegen die Fahrt. Eben noch sind wir dort gewesen, jetzt schon befinden wir uns in einer anderen Welt, ist der Hafen, die Stadt anderswo.

Hansen kennt den Weg. Wellen wiegen die Zeit. Jetzt treibe ich davon.

Der Motor setzt ein zweites Mal aus. Die Maschine bäumt sich auf, die Drehzahl springt in die Höhe, das Brummen steigert sich in ein Brüllen, in eine Raserei, deren nahes Ende zu ahnen ist. Der Motor tobt, als wollte er nicht in seinem Gehäuse bleiben, er wütet und zerstört. Im nächsten Moment bersten die Kolben, gleich bricht das Gehämmer durch Blech und Stahl. Der Motor rennt, als wollte er beweisen, dass er noch existiert. Dass er da ist, dass auf ihn Verlass ist. Wie immer schon.

Der Motor stolpert. Er sprotzt. Ein Knattern. Plötzlich klingt es jämmerlich.

Ein Schreck. Ein Zögern. Ich weiß sofort, dieses Mal zählt.

Als das Boot
liegen bleibt

Stille.

Der erste Moment ist betörend. Ich höre das Wasser. Wir zischen durch das Meer, das ist ein feines, elegantes Geräusch unter dem Kiel, wir gleiten schwerelos dahin. Wir sind leicht, wir fliegen.

Es ist anders, als ich erwartet habe. Ein erhabenes Empfinden, getragen von nichts als diesem wunderbaren Sausen.

Die Sekunden ziehen sich hin, sie wollen nicht vergehen. Für einen Moment scheint die Zeit sich aufzuheben, sie streckt sich über sich selbst hinaus und hört auf zu existieren. Ein Augenblick, der die Gegenwart überwölbt, der keinen weiteren Augenblick nach sich zieht, der alles umschließt, vor dem Meer, das sich ebenfalls streckt und keine Grenze kennt, und vor dem schier endlosen Blau des Horizontes. Das Meer und der Horizont und die Zeit fließen ineinander. Wir sitzen einfach nur da. Wir sehen zu.

Dann sinkt das Boot in das Wasser zurück. Lähmend, wie die Langsamkeit nach uns greift. Das Gefühl des Fluges kommt zu Fall. In mir wächst die Furcht vor dem nächsten Moment. Ich spüre die Angst, das Wort *Langsamkeit* nicht aussprechen zu können, die Angst, auf halbem Weg aufzugeben, zwischen erster und zweiter Silbe den Mut zu verlieren, die Kraft zu verlieren, das Wort *Langsamkeit* zu Ende zu denken, die zweite und sogar die dritte Silbe des Wortes *Langsamkeit* zu sagen. Auch der Atem wird langsamer. Der Atem stockt. Der Atem setzt aus. Einige Sekunden des Wartens, verwundert. Nichts geschieht. Etwas in mir will sich erheben. Etwas in mir hört auf. Als der Körper anhält, geraten Tod und Ewigkeit in Reichweite. Dann reißt die Lunge die Luft zu sich herein. Das Herz stürmt los. Das Herz rast, wie der Motor gerast ist. Plötzlich weiß ich, die Langsamkeit kommt vor dem Ende. Gleich wird etwas zu Ende sein, gleich wird etwas endgültig zu Ende sein, gleich ist es aus, denke ich, während die Langsamkeit nach dem Schiff greift, nach der Zeit greift, nach mir greift, nach einem winzigen Punkt in der riesigen Welt, nach einem weißen Boot in einem blauen Meer. Auch der Himmel ist immer noch blau. Das Boot ist lächerlich klein, verloren zwischen zwei Strichen im Dunst.

Wir verlieren weiter an Fahrt. Die Erdanziehungskraft holt uns zu sich zurück. Kann das Herz im Körper sinken? Ich sehe nach vorn. Die Hallig liegt unerreichbar in der Ferne, eine unscharfe Schraffur, die sich kaum abhebt von der See und dem blassen, gänzlich konturenlosen Himmel.

Wahnsinn rollt

Die Sache mit der Badelandschaft hat vor fast acht Jahren begonnen. Rödel verlor den Verstand. Rödel wurde über das Wochenende verrückt, Rödel wurde während der Fahrt verrückt, Rödel wurde auf dem Rücksitz eines Autos verrückt, in der Badewanne oder im Bett. Irgendwann starrte Rödel gegen die Decke, irgendwann starrte Rödel auf den Rand der Badewanne, irgendwann starrte Rödel aus dem Fenster ohne einen Grund. Rödel starrte irgendwohin. Und der Verstand sagte Rödel Goodbye. Der Verstand, der Rödel so viele Jahre klaglos die Treue gehalten hatte, der so viele Jahre klaglos mit Rödel gereist war, erhob sich, er winkte Rödel ein letztes Mal zu und schwebte davon.

Das unentwegte Hin und Her tut nicht gut. Nie zu bleiben, nur Besucher im eigenen Haus zu sein, immerzu im Wagen; jede Woche mit einem mittelgroßen Koffer unterwegs, jede Woche nach Berlin und zurück. Rödel ist von Berufs wegen ein Reisender, doch seit einiger Zeit geht ihm das Reisen durch Mark und Bein. Rödel fragt sich, wo er zu Hause ist. Immerzu hört Rödel das Rollen der Kofferräder auf dem Bürgersteig, immerzu hört Rödel Pflastersteingeklapper, das entsteht, wenn er seinen Koffer zieht. Vorn Rödel, dann der Koffer, klappernd auf den Kofferrädern hinterher. Das ist lächerlich. Das Kofferräderpflastersteingeklappere ist Teil von Rödels Existenz. Rödel zieht den Koffer an Restaurants vorbei, an Tischen, an denen Gäste im Abendlicht speisen. Rödel zieht den Koffer vorbei an Plätzen und Bänken. Überall sitzen welche, die nicht reisen, Menschen, die keinen mittelgroßen Koffer hinter sich her zu ziehen haben, die vielleicht nicht einmal einen mittelgroßen, beräderten Koffer ihr Eigen nennen. Wenn die anderen lange genug in Restaurants gespeist, wenn sie lange genug auf Plätzen auf Bänken gesessen haben, stehen sie auf und gehen nach Hause. Es gibt Abende, an denen Rödel meint, dass er in seinem Koffer wohnt. Dabei ist es nicht etwa so, dass Rödel derart verrückt geworden wäre, dass er nicht wüsste, dass man in einem mittelgroßen Koffer nicht wohnen kann. Rödel zieht seinen Koffer hinter sich her und hält sich zur gleichen Zeit an seinem Koffer fest.

In seinem Koffer ist Rödel privat. Rödels Koffer ist sein Gefährte. Mit den Tagen verschwindet der vertraute Waschmittelgeruch. Rödel versucht, den Waschmittelgeruch zu bewahren, Rödel kennt die Kleidung, Rödel kennt die Ecken, aus denen der Waschmittelgeruch kommt, doch mit jedem Öffnen entweicht der Duft der Erinnerung. Mit jedem Öffnen des Koffers verschwindet das Gefühl, etwas von dem Ort, den er liebt, bei sich zu haben. Aus dem vertrauten Waschmittelgeruch wird der Abgeordnetengeruch, wird ein Vertretergeruch, ein Gemisch aus Schweiß und Müdigkeit, ein Gemisch aus Flugzeugen, Autos und Zügen, ein Gemisch aus Hotelzimmern und Besprechungsräumen dazu. Ein Gemisch aus Orten, die Rödel fremd geworden sind.

Das in seinem Koffer Geschichtete benutzt Rödel mit System. In jeder Woche geht es so; noch ein Hemd, noch ein Paar Strümpfe, haushalten mit der Unterwäsche. Rödel verspürt Genugtuung, wenn die letzte Unterhose noch am Freitag einen frischen Eindruck macht. Wenn es sich ergibt, spart Rödel sich ein Stück Unterwäsche auf. Rödel weiß, im Grunde ist der Zustand seiner Unterhose politisch ohne Belang. Niemand außer ihm selbst interessiert sich dafür, in welchem Zustand seine Unterhose am Freitag daherkommt. Rödel ist das fehlende Interesse der Politik an seinem Slip jedoch gleichgültig. In einer gewissen Weise befindet Rödel sich in einer fortwährenden Unterhaltung mit seiner Kleidung und mittels seiner Kleidung in einer fortwährenden Unterhaltung mit sich selbst.

Hansen
regt sich nicht auf

Ich blicke mich um. Hansen hat das Steuer die ganze Zeit lang festgehalten. Selbst als der Motor Kapriolen schlug, hat Hansen nach vorn gesehen, als stünde alles zum Besten, als hörte er nicht, wie es zu Ende ging mit der Maschine, mit unserer Fahrt. Als gäbe es, während der Motor das erste Mal aussetzte und während der Motor das zweite Mal aussetzte, nichts anderes zu tun, als das Steuer festzuhalten und nach vorn zu sehen. Jetzt geht Hansen nach hinten. Das Boot schaukelt unter seinen schweren Schritten. Der Holzboden knarrt. Hansen setzt sich, ohne mich zu beachten, auf die kleine Bank vor dem Außenborder. Er besieht sich den Motor. Hansen zieht an Leitungen, er überprüft Verschlüsse, er stellt Hebel hin und her.

Ich nicke Hansen zu, aber ich weiß sofort, dass sein Getue nichts bringt. Ich sehe es an seinem Gesicht. Der Mann hat nicht die geringste Ahnung, was er unternehmen soll. Hansen schraubt den Deckel ab und blickt in den Tank. Dann ist er fertig. Hansen drückt auf einen Knopf. Der Anlasser wimmert und schleift.

Wir dümpeln.
Die seichte See rollt seitwärts unter uns hinweg.

Fast bewegungslos wie wir daliegen, rückt die Hallig noch weiter fort.

Wenn das Boot der Dünung nicht folgen kann, fällt es in das nächste Tal. Mit einem kaum hörbaren Rauschen geht es hinunter, dann trägt uns das Meer wieder empor. Obwohl es sich nur um eine kleine Bewegung handelt, stellt sich mein Inneres dem Schaukeln entgegen. Während ich in Richtung Horizont auf den Strich blicke, der die Hallig sein soll, zieht die Furcht, seekrank zu werden, wie eine Brise durch mich hindurch. Sie lässt Schwindel und Übelkeit zurück.

Das Boot schaukelt stärker. Gleich werde ich mich übergeben. Ich stelle mir vor, dass ich mich über Bord lehne. An der Schiffswand klebt Erbrochenes. Hansen sieht mir zu. Es ist ekelhaft.

Hansen beachtet mich nicht. Hansen starrt auf den Außenborder, als wollte er die Maschine hypnotisieren. Hansen versucht, sich mit seinen Gehirnwindungen in die Windungen der Motorkonstruktion hineinzufinden. Er bringt sie nicht überein. Hansen kratzt sich hinter dem Ohr und versucht ein zweites Mal, den Motor zu starten. Der Anlasser kommt. Wieder bleibt die Maschine für sich. Hansen denkt nach, dann klopft er gegen den Gehäusekasten. Niemand auf der Welt kann glauben, Maschinen würden aufgrund eines Klopfens auf den Gehäusekasten wieder funktionieren. Das Klopfen ist ein Zeichen, Hansens Verständigungsversuch zwischen Mensch und Mechanik. Das Klopfen ist freundlich und irre zugleich. Hansen streicht sanft über den Motor. Der Außenborder schweigt.

Hansen beugt sich aus dem Boot zur Schraube hinab. Ich sitze im Bug und starre ihm nach. Hansens Oberkörper ist hinter der Reling verschwunden, ich sehe auf seinen breiten Hosenboden. Einen Moment meine ich, Hansen fällt ins Meer. Ich habe Angst davor, dass er hinausfällt, dass ich allein hier zurückbleibe, aber ich wehre mich nicht. Ich springe auch nicht auf. Ich komme gar nicht auf die Idee, die wenigen Meter nach hinten zu laufen und Hansen zu halten. Aus einem unerfindlichen Grund ist mir der Gedanke, mitten auf dem Meer auf einem Boot, dessen Motor zu Bruch gegangen ist, allein zu sein, gleichgültig. Ich warte. Nach einer Weile setzt Hansen sich wieder auf und schüttelt den Kopf. Unsere Blicke begegnen einander. Hansen steckt bedächtig seine kalte Pfeife in den Mund. Die Zylinderkopfdichtung, meint er, oder Wasser, vielleicht.

Wahl-
Reisen

Womöglich war es auch anders. Womöglich ist es keine Unterhose gewesen, die Rödel in den Wahnsinn trieb. Vielleicht hat der Umstand, dass Rödel auf eine gewisse Weise verrückt geworden ist, nichts mit Heimfahrten, nichts mit Rödels Zwiegesprächen mit seinem Koffer und der in seinem Koffer verwahrten, anfangs frischen, bald aber weniger frischen Wäsche zu tun. Vielleicht hat der Wahnsinn in Rödels Wahlkreis in ihm Fuß gefasst. Rödel ist während einer Wahlkreisbereisung verrückt geworden, einer Kreisbereisung, einer Reise im Auto im Kreis.

Überall erwartet, überall beäugt.
Unmöglich, nach zwei Stunden Fahrt auch nur für einen Augenblick zu verschwinden. Während einer Wahlkreisbereisung ist es fast ausgeschlossen, die Notdurft zu verrichten.

Seine Notdurft verrichtet Rödel seit Jahren im Wald. Das ist eine Angewohnheit, die ihm die Wahlkreisbereisungen eingebracht haben. Rödel muss, wenn er Bäume sieht. Auch am Sonntag, wenn Rödel mit seiner Frau spazieren geht, bepinkelt er Grünes wie ein Hund.

Rödel wäre also während einer Wahlkreisbereisung, bei der dritten oder vierten Rede, im dritten oder vierten Dorfkrug, verrückt geworden, dem Gasthaus *Zur Eiche*, dem Gasthaus *Zur Post* oder im Gasthaus *Waldruhe*, das sich tatsächlich nicht im Wald, sondern am Rande eines Friedhofs befindet. Da hat Rödel keine Probleme mit der Toilette. Rödel hat eine Wette mit sich laufen, dass es in Deutschland nicht mehr als sechzig Namen für Gasthäuser gibt. Rödel hat die Namen aller von ihm besuchten Gasthäuser im Kopf. Sechsundvierzig sind es zur Zeit. In einem von ihnen wird er verrückt. Ein paar im Raum verstreute Ältere, die es mitzureißen gilt; schwer sitzen sie da, nachmittags um 16 Uhr, unzufrieden, jeder in diesen mit nicht mehr als sechzig Namen versehenen Gasthäusern scheint mit irgendetwas unzufrieden zu sein, aber er, Rödel, soll sie mitreißen, das erwarten sie von ihm, das dürfen sie von ihm erwarten, von ihrem Abgeordneten, dem Abgeordneten ihres Kreises, dessen Konterfei Tag und Nacht von den Bäumen herablächelt, von dem, der ihre Sache zu seiner machen soll, den sie gewählt haben, den sie nicht wieder wählen, wenn er sie nicht mitreißt, jetzt. Vielleicht ist es Rödel, während er in dem Gastraum eines Gasthauses stand und zu lächeln versuchte, ebenso verbindlich zu lächeln versuchte, wie er auf dem Plakat an den Bäumen und an den Straßenlaternen lächelte, während Rödel gewissermaßen simultan an vielen Orten seines Wahlkreises lächelte, an vielen Orten vorhanden und dabei unsicher war, an welchem Ort der wahre Rödel, er selbst sich wohl befinden mochte, vielleicht ist es Rödel da auf einmal durch den Kopf geschossen. Wie er lebt und wie er nicht lebt, was die Leute von ihm halten, wie sie ihn jetzt ansehen, dass er so viel arbeitet, dass er nie sagen kann, er habe etwas erreicht. Nie erreicht Rödel selbst etwas, immer kommt so vieles zusammen. In der Politik verrührt sich die Weltlage. In der Politik verrührt sich die Weltlage mit der Ortsumfahrung in einem Topf. Rödel sah sich um, Rödel hatte die Reisen so satt, warum sollte er kämpfen, warum sollte er jetzt kämpfen, hier, in diesem Gasthof, in diesem dunklen Raum, in dem es roch; nach abgestandenem Bier. Rödel hasst den Geruch abgestandenen Bieres. Rödel stand da und bemühte sich um ein Lächeln, bereits das Lächeln auf den Plakaten zeigte bei genauerer Betrachtung Spuren eines Abgrundes, Rödel blickte in die missmutigen Gesichter, 16 Uhr, er dachte, den Biergeruch nehme ich mit. Rödel dachte, das abgestandene Bier wird am Abend Teil der Gerüche in meinem Koffer. Die ganze Woche trage ich es mit mir herum.

Rödel ging zum Pult und griff nach dem Mikrophon. Rödel stand vor den Alten. Die saßen, ohne sich zu bewegen, auf ihren Stühlen und sahen ihm zu. Rödel konzentrierte sich, senkte den Kopf, hob ihn wieder, und das Lächeln, auf das sie gewartet hatten, trat auf sein Gesicht. Das Lächeln auf dem Plakat und das Lächeln auf Rödels Gesicht waren das gleiche. Die Alten nickten. Rödel nickte auch. Rödel hob an.

Da plötzlich, ein Glühen.
Ein Blitzen, ein Licht.

Was war das? Rödel staunte und sah im Raum umher. Er suchte. Von wo war das Leuchten gekommen, wo war es geblieben? Hatten die anderen nichts bemerkt? Rödel blickte auf sein Auditorium; das blickte zurück. Rödel schüttelte sich, legte das Manuskript auf das Pult und begann zu sprechen. Darüber, worauf es ankommt. Über die Kandidaten und die

Partei. Wie die Gesellschaft funktionieren kann. Was wichtig ist in dieser Stadt und in anderen Städten auch. Politik ist Rödels Leben, er machte seine Sache gut. Rödels Rede verscheuchte die müden Geister. Kenntnisreich ging es voran. Dem Ausruf folgte das Detail. In kunstvollen Pausen blickte Rödel nach vorn und wartete mit den anderen auf sein nächstes Wort. Mit Feuer trieb er sie dem Höhepunkt entgegen. Am Ende klatschten die Leute. Rödel verschränkte die Hände. Er hob sie für die gemeinsamen Ziele über den Kopf. Da klatschten die Leute noch mehr. Rödel verneigte sich und dankte für die guten Stunden. Er versprach einen nächsten Besuch. Rödels Lächeln leuchtete in das dunkle Zimmer. Das Manuskript hatte er nicht gebraucht. Kein Glühen, kein Blitzen. Nichts schien anders zu sein als bisher.

Immer
mehr Meer

Es dauert nicht lange, haben sie am Anleger gesagt. Bald kommt jemand vorbei. Das mit dem Boot ist kein Problem. Wollen Sie ein wenig spazieren gehen? Dahinten, am Meer? Ein schöner Weg! Wir finden Sie schon.

Seit drei Stunden bin ich hier, ohne dass etwas geschieht. Die Insel übersteigt meine Kraft. Ich habe Hunger und bin müde. Ich fühle mich niedergeschlagen. Erst die Überfahrt, nun dies. Allein, keine Möglichkeit, etwas Vernünftiges zu tun; wann war ich das letzte Mal so verloren? Meine Gedanken überschlagen sich. Ich laufe ohne Sinn und Verstand herum. Ich gehe, ich bin gegangen, ich gehe die ganze Zeit. Das Gehen, das Kreisen, das Im-Kreis-Laufen, das beinahe ein Im-Kreis-Rennen ist, das Pausenlose, das anhaltslose Pausenlose, das Pausenlose ohne einen einzigen Punkt, an den ich mich halten, an dem ich mich festhalten könnte, dieses pausenlose Gehen, dazu im Kreis, das raubt mir den Verstand. Mein Dasein ist eine Endlosschleife. Eine Endlosschleife ist es, in der ich mich auf der Hallig bewege, endlos auf dem gleichen Weg. Ich richte den Blick nach vorn. Ich sehe meine Spuren. Meine Fußabdrücke pressen sich über andere, die ich hinterlassen habe, in den Boden. Ich bin eine Wiederholungsmaschine, eine Ma-

21

schine, die sich präzise und punktgenau wiederholt, die nach irgendeinem, einem längst vergangenen, einem längst vergessenen ersten Mal das wiederholt Wiederholte wiederholt, immerzu wiederholt.

Nichts anderes tut die Wiederholungsmaschine, sie wiederholt sich immerzu.

Ich laufe fort vor der Ereignislosigkeit. So sehr ich mich auch anstrenge, es bleibt nichts anderes zu tun. Ich laufe vor mir selbst davon, blicke auf meine Spuren, laufe mir hinterher. Was ist das für ein Ort auf dieser übervollen Erde, an dem sich kein einziger anderer Mensch zu befinden scheint? Vor mir Leere, hinter mir Leere. Nur ich bin dort gewesen, eben noch, eben schon, gleich werde ich wieder dort sein, einige Schritte weiter, einige Schritte zurück an der höheren Düne, der flachen Stelle, an der Bresche, die das Meer mit seiner riesigen Zunge in das Land geschlagen hat. Die auslaufenden Wellen geben meinen Spuren eine weiche, grobporige Tiefe. Die der Wind trocknet. Die der Wind verweht. Die das Meer verwischt.

Ich mache keine Pause. Wozu? Ich sehe auf den Boden, will mich unterhalten. Die Spuren sollen meine Gesellschaft sein. Fußpaar neben Fußpaar, ein Abdruck neben dem anderen, ein Kreuzen, ein Durcheinander, das ist eine Gruppe. Tritt neben Tritt, zu zweit. Allein, allein.

Es dauert nicht lange. Ich kann mir nicht ausdenken, wer da geht. Hier zu sein macht keinen Sinn.

Ich laufe eine Weile und fasse wieder Mut. Ich schreite aus, ich trete kurz. Ich will dem Gehen eine Ordnung geben. Ein neues

Spiel. Ich will in meinen Spuren laufen. Eine Wiederholung, deren Genauigkeit sie unsichtbar macht, das zu Sehende, das dem Gesehenen so unverwechselbar gleicht, dass das Neue für das Alte gilt. Sofort finde ich heraus, dass ich nicht so gehen kann, wie ich eben noch gegangen bin. Bei dem Versuch, einen Schritt exakt zu wiederholen, verliere ich die Balance. Ich übe, ich will es besser machen. Ich bin unsicher, ich trete vorbei. Den erst vor Minuten an dieser Stelle hinterlassenen eigenen Abdruck treffe ich ein einziges Mal, nur selten ein zweites. Ein drittes Mal nie.

Nichts gelingt.

Ich ziehe mein Mobiltelefon aus der Tasche. Kein Netz. Natürlich kein Netz, weshalb auch, wenn hier doch niemand ist außer mir.

Ich frage mich, ob man auf einer so kleinen Insel schlafen kann.

Vielleicht steigt das Wasser in der Nacht, vielleicht steigt das Meer, wenn es niemand beobachtet, es steigt und steigt, die dunkle See und der dunkle Himmel drängen zueinander hin, sie wollen einander berühren, dunkel plus dunkel macht schwarz. Das Meer dringt lautlos durch die Türritzen in das Haus, plötzlich ist es in meinem Zimmer. Die Bewohner der Hallig stehen da und schweigen. Die Bewohner der Hallig sind keine Menschen, sie sind Meereswesen, das Meer ist ihr Wirt. Die Meereswesen machen sich mit dem Meer gemein. Ihre Augen und Ohren, die Nasen sind in der Dunkelheit auf mich gerichtet, sie warten, sie stellen ihre nassen Sinne auf mich ein.

Da ist ein Raunen, ich schlafe, ich bemerke das Wasser nicht, ich höre das Raunen nicht, obwohl es anschwillt wie das Meer. Das Telefon und meine Kleidung habe ich dicht neben dem Bett auf den Boden gelegt, sie verschwinden mit einem Gurgeln, das hinter dem Raunen verschwindet. Das Wasser steigt und steigt, ein Kurzschluss, unbemerkt, das Display erlischt, die letzte Verbindung mit der Welt, aus der ich komme, wird unmöglich, eine Verbindung, die es nie gegeben hat, nicht hier, ohne Netz. An den Bettpfosten kriecht das Wasser empor, ich schlafe, die Zunge drängt auf die Warft, die Hallig hat ihren Schoß geöffnet, die Hallig gibt sich auf, die Hallig gibt sich hin, die Bresche am Ufer ist verschwunden, das Wasser ist überall, die Hallig will ertrinken, die Hallig ertrinkt, das Meer flutet das Land, das Wasser steigt weiter, das Meer schwemmt jeden Widerstand fort. Es tränkt ihn in seinem riesigen Leib. Die Tür öffnet sich von Geisterhand, auf dem Bett treibe ich aus dem Haus. Ich bin unbekleidet, ich treibe schlafend auf dem Ozean, ich treibe schlafend auf der Zeit. Eine Welt aus Wellen und Weite. Die Dünung wiegt mich und trägt mich endlich fort. Die Küste und die Warft sind nicht mehr zu sehen, nur ich bin übrig geblieben. In der Urzeit hagelten Hunderte Millionen Jahre Meteoriten auf die Erde nieder. Schließlich bedeckten Wassertropfen, die sie in sich getragen hatten, die Oberfläche unseres Planeten. Kein Land.

Alles beginnt von vorn.
Ich lebe, ein zweites Mal geboren.

Ich gehe am Ufer entlang und frage mich, ob dieser Moment existiert. Ich sehe mich auf dieser kleinen Insel, inmitten der See. Für einen Augenblick ist der Umstand, dass ich hier bin, mehr als ich begreife. Ich vermute, ich träume. Ich versuche, hinter den Traum zu kommen, und benutze eine List. Ich stelle mir vor, dass ich in meinem Bett liege. Ich erwache. Im Halbschlaf höre ich die gewohnten Geräusche. Im Halbschlaf lese ich das Ziffernblatt der Uhr. Langsam verschwindet die Nacht hinter der Gegenwart.

Ich blicke auf. Die Hallig ist noch da. Ich habe nicht geträumt. Die Spuren verwischen nicht mehr. Ich bemerke, dass der Ufersaum allmählich breiter wird. Das Wasser geht zurück. Immer noch ist niemand zu sehen. Das Land wartet. Die Warft erhebt sich kaum über das Meer. Zwei Häuser, umgeben von Wiesen, auf denen Rinder stehen. Ein stilles Bild mit zu viel Platz. Die Tiere bewegen nicht einmal ihren Kopf. Ich laufe von links in ihr Blickfeld hinein und rechts wieder heraus. Die Häuser sind niedrig gebaut, die Rinder sind groß.

Bis morgen dauert es, meint Hansen, bis das Boot wieder funktioniert und mich zum Festland zurückbringen kann. Eine Frau kommt über die Wiese auf mich zu und winkt. Ich halte an und sehe ihr entgegen. Ich darf mir nicht anmerken lassen, wie es um mich steht.

Wie die Badelandschaft
in Rödels Kopf
entstanden ist

Selbstverständlich hält das Leben und erst recht eine ganz-
tägige oder sogar mehrtägige Kreisbereisung dem Wahnsinn
unzählige Chancen bereit. Rödel könnte auch am gleichen
Tag, aber erst später verrückt geworden sein; Rödel wurde
am Abend seiner Kreisbereisung verrückt, Rödel wurde am
Stammtisch verrückt, Rödel wurde verrückt, als er sich reden
hörte, als er sich wieder das immer gleiche Zeug reden hörte,
als er den Obstbrand lobte, den er nicht mochte, mit dem
Obstbrand anstieß und den Obstbrand trank. Glas für Glas
spürte Rödel das Anwachsen des Schmerzes im Kopf. Er saß
da und fühlte sich wie ein Schwamm, vollgesogen mit Stra-
ßenkilometern, örtlichen Bieren und Schnäpsen, dazu das immer gleiche Ja und Aber, dazu die immer gleichen Einwände,
die immer gleiche Lustlosigkeit, warum das alles nicht geht,
warum sich nichts ändern soll, nicht bei uns, nicht hier, bei den
anderen schon, bei uns nicht. Wir fahren in die Zukunft mit
angezogener Handbremse. Während Rödel an dem Stammtisch saß, ist es ihm plötzlich egal gewesen, das ganze Partei-
programm, die Politik, die Ordnung der Argumente, auf die er
sonst achtet, die großen Ziele, die ihm sonst so wichtig sind,
und alles andere auch. Ein Gedanke, ein Wort, Zugerufenes,
da war sie, da ist die Badelandschaft aufgetaucht, da stand sie

vor ihm in seinem Kopf. Rödel erfand sich eine Welt. In Rödel entstand ein prächtiges Bild. Ein Bild voller Freude, so heiter wie rein, so bunt wie unbeschwert.

Rödel redete wie ehedem, er benahm sich wie zuvor. Rödel klopfte auf Schultern, er nickte den Leuten zu und erhob sein Glas. Sein Körper ergab sich und versank mit den anderen im Dunst der Alkoholseeligkeit des Abends.

Rödels Gefühl jedoch begann zu schweben.

Eine Badelandschaft musste her. Eine phantastische Badelandschaft, eine Badelandschaft seitwärts des Schlossplatzes, im Herzen Berlins, eine Badelandschaft von internationalem Rang. Eine Badelandschaft wie es noch keine gab, nicht in Deutschland und nirgendwo sonst. Vor Rödels innerem Auge entstand ein Bild, das in der Tat vergeblich seinesgleichen suchte. Rödel sah eine prächtige Schwimmhalle, ein von achtundvierzig Säulen getragenes Gebäude, bekrönt mit einem Dach aus gelbem Glas, das sich per Knopfdruck öffnen ließ, darin ein Becken mit blau-weiß gemustertem Boden, in dem das Wasser still und erwartungsvoll funkelte. Den Eingang bildete ein stattliches Tor, obendrauf mit zwei Surfern geschmückt.

Während Rödel am Abend seiner Kreisbereisung am Stammtisch saß und freundlich Leuten zunickte, die er nicht kannte und nie kennen würde, stand er im Geiste zwischen den Säulen des von ihm zu schaffenden Schwimmbades. Rödel trank und träumte sich seiner Zeit voraus. Er hörte von der Spitze des Eingangstores das Geräusch der künstlichen Wellen und das Geräusch der Surfer. Die surften. Der Wagemut des Planes verschlug ihm den Atem. Nordseewellen würden die Brandung sein, Südseewellen die Heimstatt seiner Träume. Im Kinderbecken gab es Ostseewellen. Die riesigen Wasserrutschen wären ein neues Wahrzeichen der Stadt. Rödel sah die Wasserrutschen, ein farbiges Geschlängel, ein fröhliches Koppheister hoch oben in den Lüften, er sah Brunnen, plätschernde und solche mit schillernden Fontänen. Rödel sah Saunen mit Gebälk wie Bergwerkstollen und Wänden, die funkelten von Gold und Kristall, bekräutert, besalzen und bedampft, daneben Heißsprudelbecken, in denen dienstbeflissene Düsen gurgelnd nach bedürftigen Körpern verlangten. Da gab es eine Freiluftterrasse und eine Treppe, der Anlage eines Schlosses ebenbürtig. Die Treppe führte von der Terrasse in den Garten hinab, wo unter edlen Bäumen Kneipp- und Tauchbecken und von geschwungenen Bachläufen umspülte Liegewiesen warteten. Auf der anderen Seite, vor der Schwimmbadhalle, lockten Geschäfte und Restaurants. Ja, Rödel sah eine Welt aus Geschäften und Restaurants, eine Einkaufswelt, die neben der Wasserwelt funkelte, fast kraftvoller als das Wasser selbst. Vor dem Eingang eines Salons wartete eine asiatisch anmutende Frau, neben sich ein Plakat, auf dem sie kenntnisreich lächelte. Rödel staunte. Über der gedoppelten Frau erschien ein Bild, auf dem ein Mann von einem Laternenmast herabsah. Rödel staunte noch mehr und grüßte. Rödel grüßte hin und grüßte von dem Plakat zurück.

Auf eine merkwürdige Weise wollten sich Badelandschaft und Kreisbereisung berühren.

Bis zu diesem Moment war Rödel noch hier und dort zugleich. Da begann die Frau, ihre Hände zu bewegen. Obwohl

Rödel zu später Stunde an einem ihm unbekannten Ort, in einem ihm unbekannten Lokal zwischen ihm unbekannten Menschen an einem Stammtisch saß, schloss er die Augen. Rödel folgte der Wanderung kluger Hände auf den Bahnen seiner Muskeln. Rödel spürte die Massage auf dem empfindsamen Punkt zwischen seinen Schulterblättern, eine achillesähnliche Schwäche, über die er nicht sprach, ein für ihn selbst unsichtbares und unberührbares, ein um so wirkungsmächtigeres Geheimnis. Die Hände vertrieben mit sanftem Strich die Ablagerungen vergangener Jahre. Sie verzauberten Schmerz in Wohlbefinden. Rödel fühlte tief drinnen seine Jugend. Sie war noch da.

Rödel beugte sich ein wenig nach vorn. Die Hände wanderten weiter zwischen Rippen und Knochen und Palmen und den zarten Bachläufen der von ihm entworfenen Wiesen.

Halt, das war schön, aber falsch.
Für einen Moment hatten sich in Rödels Kopf die Wege der Muskelbahnen und die Wege der Bachläufe und dies und das überlagert.

Egal. Selbst jetzt, während Rödel am Stammtisch saß und seinen Hals in dem Bemühen um Trennschärfe ein wenig hin und her bewegte, spürte er, dass die Zukunft auf ihn wartete. Großes stand bevor. Großes, das zu bewirken ihm aufgegeben war. Rödel genoss die Früchte einer Welt, die er erschaffen würde. Rödel genoss und schwieg.

Erst als die Massage beendet war, nahm Rödel den in seinem Kopf abgelegten Faden behutsam wieder auf. Er öffnete die

Augen und sah sich um. Der Birnenschnaps zeigte Wirkung. Niemand schien seine Unaufmerksamkeit bemerkt zu haben. Rödel trat ins Geschirr. Er erhob sich und sein Glas.

Freunde, ein weiterer Toast. Wir stoßen an auf diesen Abend, an dem ihr mir so viel Freude bereitet habt. Und wir stoßen an auf Gutes, das kommen mag.

Rödel schenkte der Gegenwart eine Umarmung. Der Zukunft ein Augenzwinkern.

Das gefiel den Leuten.

Sie prosteten ihm zu.

Der Schnaps schmerzte nicht mehr. Die Unterhaltung am Tisch brauste. Rödel saß wieder still und betrachtete seinen Plan. Er musste vernünftig bleiben. Bunte Bilder, schön, aber wie funktionierte das Ganze? Über Erfolg und Misserfolg entscheidet oft nicht mehr als die Logistik. Schlagartig wurde es ihm klar. Der auf dem Alexanderplatz, wohl hundert Meter entfernt vorhandene Bahnhof und die große Busstation reichten nicht aus. Direkt am Eingangstor der Badelandschaft mussten ein S-Bahn-, ein Fernbahn- und ein internationaler Flughafenanschluss entstehen. Während die Flasche klaren Birnenschnapses dem Ende entgegenging, wuchs in Rödels Kopf ein Flugplan heran. Der umfasste die ganze Welt. Rödel sah Familien, er sah Jung und Alt. Rödel sah japanische Besucher mit japanischen Handtüchern, Rödel sah Brasilianer mit brasilianischen Handtüchern. Rödel sah Spanier und Niederländer. Portugiesen und Engländer. Und Franzosen. Und so weiter und so fort. In Rödels Kopf erschien jede Nation mit dem eigens mitgebrachten Handtuch. Rödel verschlug es den Atem. Unglaublich, die Leute flogen aus fernen Ländern herbei, um in seiner Freizeitwelt zu baden. In Berlin entstand ein internationales Flugdrehkreuz der Handtücher. Mochten andere Städte Fabriken und Bürogebäude besitzen, seine Badelandschaft verschaffte Berlin internationales Gewicht.

Ein halbes Jahrhundert nach der Rede vor dem Schöneberger Rathaus. Wieder Direktflüge nach Amerika.

Rödel saß an dem Stammtisch und fühlte sich mit Amerika verbunden. Sein Plan hatte ihn ergriffen. Es musste heraus. Rödel erhob sich ein letztes Mal. Er sprach von der Badelandschaft. Rödel beschrieb die Schwimmhalle, das von achtundvierzig Säulen getragene Gebäude, bekrönt mit einem Dach aus gelbem Glas. Rödel erzählte von Wasserrutschen und dem ersten Drehkreuz der Handtücher der Welt. Rödel wanderte durch die Badelandschaft und blickte nach Amerika. Dann reckte er sein Glas in die Luft. Die Leute sahen zu Rödel empor und erhoben sich ebenfalls. Sie applaudierten. Ein älterer Herr umarmte Rödel und redete Unverständliches. Dann begann er zu weinen. Die Birnenschnapsflasche lag auf dem Tisch. Sie war leer. Die Kreisbereisung war zu Ende.

Die Kreisbereisung war zu Ende, doch etwas Neues hatte begonnen. Rödels Assistentin fuhr ihn nach Hause. Nachts noch, vor dem Spiegel des aufklappbaren Badezimmerschrankes, er hatte seinen Kindern über das von Träumen verwirbelte Haar gestrichen, das Fernsehgerät ausgeschaltet, vor dem seine Frau längst eingeschlafen war, nachts noch, als er vor dem Spiegel des dreiteiligen, beigen Badezimmerschrankes stand und den

Knoten der Krawatte öffnete, endlich, Rödel war seit sechs Uhr morgens unterwegs, neben ihm der Koffer, den er gleich auspacken und bis zum Sonntag auf den immer gleichen Platz stellen würde, da dachte Rödel an Bäder und Rutschen, an Fontänen und Grotten. Er ging zu Bett. Keine einzige Wolke bedeckte den nächtlichen Himmel. Der Mond stand vor dem Fenster am Firmament. Der Mond beschien den Garten. Der schwieg. Der Mond schwieg auch. Die Blumen, so farbenfroh am Tage, sie glänzten festlich und silbern.

In kristallklarer Luft reist der Wahnsinn am liebsten.

Bald füllten Bilder die Nacht. Rödel träumte von einer Kreisbereisung. Einer Kreisbereisung, die in einer Badelandschaft ihr Ende fand. Rödel schlief tief und gut. Der Koffer war leer. Rödel war angekommen.

Das Haus
auf der Warft

Die Frau kommt mit großen Schritten über die Wiese herbei. Bald stehen wir voreinander. Sie hat ein offenes Gesicht, hohe Wangenknochen und kraftvolle, blaue Augen, die mich jetzt freundlich mustern.

Der Bürgermeister hat gesagt, Sie suchen eine Bleibe. Kein Problem, ich vermiete Zimmer. Machen Sie sich keine Gedanken, Sie fallen mir nicht zur Last. Das Haus ist geräumig. Sie müssen auch nicht im Alkoven schlafen.

Das Haus ist klein. Wein und Efeu haben die Fensterläden in Besitz genommen. Die Warft ist von einem Wall umgeben, auf dem Heide wächst. Von altem Kieferngebüsch geschützt, reicht der Blick über Wiesen, Watt und Meer. Im noch immer wolkenlos windstillen Blau des späten Nachmittags singt eine Lerche. Vor der Haustür, die auf halber Höhe geteilt und oben gerundet ist, steht ein mit Muscheln bedeckter Anker. Seine beiden gezackten Eisenspitzen ragen zwischen Wiesengras und wilden Blumen empor.

Sie hat mich gebeten zu warten. Ich sitze zwischen dem Anker und gelbem Ginster in einem blau-weiß gestreiften Strandkorb.

Um die Rückenlehne zu verstellen, muss man die beiden Metallschlaufen an den Seiten lösen und neu fixieren. Sie hat gelacht. Aber er fällt bestimmt nicht um. Sie werden schon sehen. Der Strandkorb besitzt auch eine Art Fußliege, die sich, steckt man zwei Finger in Löcher im Holz, mit einer etwas mühsamen Bewegung ausziehen lässt. Nach einigen Versuchen habe ich es geschafft. Ich lehne mich zurück. Im Inneren ist nicht einmal ein Windhauch zu spüren.

Die Blüten des Ginsters duften. Ich begreife, dass meine Reise für heute zu Ende ist. Ich entdecke die Lerche, ein brauner Vogel über dem mit Reet gedeckten Dach in der Luft. Die Flügel schlagen so schnell, dass man sie kaum erkennen kann.

Blau-weiß und blau.
Vogelgesang. Insekten, geschäftig hin und her.

Sonst nichts.

In diesem Moment, ich sehe auf die Lerche, sie steht exakt auf einem Punkt und singt, genau in diesem Augenblick, in dem ich das kleine Tier betrachte, das mit ganzer Kraft in den blauen Himmel hinein jubiliert, frage ich mich, ob hier, auf dem Meer, auf der Hallig, auf der Warft, fernab von meinem Leben, hier, wohin mich ein Zufall, ein Motorschaden und ein unfähiger Kapitän verschlagen haben, die Zeit anders verläuft als in der Stadt. Ich stehe auf, klettere auf den kleinen Wall und setze mich in die lila blühende Heide. Ich gehe um das Haus herum und setze mich auf die Steinplatten des Vorhofes. In ihren Mulden wächst Moos, aus Fugen quillt Gras. Die unebene, in Schichten abgesprungene Oberfläche des Schiefers ist warm.

Während meine Hand über die Steinplatten gleitet, öffnet sich oberhalb der Haustür ein schmales, von Efeublättern umrahmtes Fenster. Meine Gastgeberin sieht mich auf dem Boden sitzen, sie lacht und zeigt mit einem Nicken auf den Eingang. Sie bittet mich hinein. Ich stehe auf und rücke meinen Anzug zurecht. Zuletzt der Schlipsknoten, dann blicke ich an mir herab. Die Sinnlosigkeit meiner Bemühungen ist offensichtlich. Ich komme aus einer Welt und stehe vor einer anderen. Ich befinde mich dazwischen. Ich drücke die Klinke der Haustür herunter, der obere Teil schwingt nach innen zurück, meine Hüfte stößt heftig gegen den unteren. Im Flur des Hauses steht man dicht beieinander. An eisernen Haken hängen Mäntel und Jacken. Auf einem roten Tisch, dessen Oberfläche unter einer Glasplatte mit Photos beklebt ist, die mehrere Generationen einer Familie vor der zweigeteilten Tür zeigen, liegen Schlüssel und Geldbörse. Die Photos haben einen Gelbstich und sind an den Ecken rissig. Rechts führt eine eng gekrümmte Treppe nach oben, links geht es in das Wohnzimmer. Wir setzen uns in zwei tiefe Sessel. Es gibt Tee, der nach Rauch duftet. Die Fensterscheibe ist von beiden Seiten mit Geranien bepflanzt. Draußen steht der Anker im Sonnenlicht. Ich blicke auf die Wiesen. Weit hinten liegen das Watt und die See.

Schweigen.
Wir lehnen uns zurück.
Ich suche dem Anker ein Schiff.

Wir wechseln einige Sätze, dann erheben wir uns ohne Eile. Sie öffnet einladend die Arme, das ist eine ihrer mir beinahe schon vertrauten Gesten, sie geht vor und zeigt mir das Haus. Gemeinhin hält man Politiker für Raubeine, aber ich bemerke es sofort, wenn Freundlichkeit von Herzen kommt. Wir steigen die enge Treppe hinauf. Rechts am Ende des kleinen Flurs gibt es tatsächlich eine Schlafnische, durch eine Art Kajütenfenster fällt Licht herein. Links geht es in einen gestreckten Raum, der in der Mitte abknickt und auf der einen Seite in einem offenen Badezimmer über der Haustür endet. Auf der anderen Seite stehen dicht unter dem schrägen Dach zwei Betten. Durch holzgefächerte, halbmondförmige Fenster sieht man über das flache Land bis zu einem Leuchtturm. Auf den Betten warten Frotteehandtücher, rot mit grünem Klee. Auf einem der ebenfalls halbmondförmigen Tische stehen zwei Vasen mit getrockneter Heide, daneben ein Glas, das mit Sand und Muscheln gefüllt ist. Auf dem anderen Tisch liegen Hufeisen. Die Fenster sind heruntergeklappt. Im Haus riecht es wie draußen nach Sommer. Kathrin Knudson lächelt fragend. Ich nicke. Ja, es ist alles recht.

Verrückt
am Schiffbauerdamm

Rödel träumte und träumte. Nun ja, so stelle ich es mir vor. So könnte es gewesen sein. Ich meine, es liegt doch nahe, dass es so gewesen ist. So wie Rödel lebt. Ich will allerdings nicht verschweigen, dass es noch eine andere Möglichkeit gibt. Eine, über die ich nicht gern spreche. Sie ist mir nicht angenehm. Sie rückt auch mich in das Bild. Rödel hat den Verstand nicht im Auto, nicht am Wochenende und nicht während einer Kreisbereisung, sondern genau und ausgerechnet in einer jener Stunden verloren, in denen wir zusammen gewesen sind. Rödel ist in Berlin verrückt geworden, in einer Parlamentswoche, an einem Montagabend, als wir uns wie so oft auf ein Glas Wein trafen.

Während Rödel und ich am Tisch Platz nahmen, stand der Wahnsinn in der Tür des Restaurants Pate. Rödel war bester Dinge. Immer wieder lächelte er mir zu. Geschichten sprudelten aus ihm hervor. Waren seine Worte noch auf dem Weg zu einer Pointe, so funkelte sie bereits in seinen Augen. Rödels gute Laune nahm auch die Nachbartische ein.

Ich sah ihn an und blieb still. Ich war froh.
Schon oft habe ich mich gefragt, woher so viel vorbehaltlose

Freundlichkeit kommen mag. Rödel, kinderbunt. Rödel, übermütig. Rödel ohne Furcht.

Rödel, dessen Gedanken stets nach vorne zeigen.

Der Wahnsinn beobachtete uns eine Weile. Schließlich nickte er, sein Blick ließ von Rödel ab. Der Wahnsinn sah sich um. Er benötigte noch eine Karte für sein Spiel. Eine einzige Karte, damit sich die in Rödels Gehirn längst angelegte Badelandschaft vollständig entfalten konnte. Die Suche dauerte nicht lange. Der Wahnsinn lächelte. Die Gutgläubigkeit ist ein treuer Soldat. Ich lächelte auch.

Der Wahnsinn erhob sich, flog durch den Raum und ließ sich auf Rödels Schulter nieder. In diesem Moment, als der Wahnsinn auf Rödels Schulter saß, waren sie noch zu zweit. Wahn und Sinn, Sinn und Wahn, noch stand etwas zwischen Rödel und der fremden Macht, noch war Rödel da, noch existierte der Rödel, den ich kannte, den gekannt zu haben ich glaubte, noch war der Wahnsinn für Rödel nur eine Möglichkeit, eine Existenzmöglichkeit, das Wahnsinnigsein war nicht mehr als eine Variante seiner zukünftigen Existenz. Nein, Rödel musste sich nicht ergeben. Natürlich wollte der Wahnsinn Rödel ganz besitzen. Er kam in Bildern herbei und begann zu singen. Rödel sah und lauschte ahnungslos. Rödel träumte. Der Wahnsinn ist eine Amsel und ein Buntspecht. Als aus dem Gesang und aus den Bildern Worte wurden, klopfte er mit spitzem Schnabel gegen Rödels Kopf. Er klopfte und klopfte. Rödel bemerkte das Klopfen nicht. Der Zauber der Farben versüßte den Schmerz. Da schlug der Wahnsinn ein Loch.

Der Wahnsinn saß auf Rödels Schulter und blickte in den frisch aufgeschlagenen Schädel hinein. Wenn der beinahe Wahnsinnige das Klopfen an seiner Schädeldecke, das Pochen in seinem Kopf nicht hört, wenn der beinahe Wahnsinnige das Klopfen, das Pochen auch nur für Sekunden nicht mehr hören kann, dann holt der Wahnsinn Schwung. Der Wahnsinn nahm Maß und sprang, er schlüpfte durch das Loch in Rödels Kopf und sah sich um. Hier baue ich mein Nest. Der Wahnsinn begann, in Rödels Kopf zu nisten.

Wenn es an jenem Abend in Berlin geschehen ist, dann war mein Anblick das letzte fehlende Stück. Was immer Rödel gedacht haben mag, verrückt werden konnte er nur mit mir. Seinem Freund. Seinem treuen Zuhörer. Seinem Bewunderer. Denn das alles bin ich gewesen. Mein Zuhören war der Boden, auf dem die irrlichternden Bilder wuchsen. Ich war des Rödels Wahnsinnigwerdens Zeuge, der Einzige, der bei ihm gewesen ist, in jenem Moment, in dem sein Hirn austickte, in unserem Restaurant am Schiffbauerdamm, als es gegen 22 Uhr einen Salto in der Luft schlug und aus. Rödel und ich saßen an diesem Abend am offenen Fenster. Nachdem er seine Pläne vorgetragen hatte, schwiegen wir eine Weile und sahen hinaus. Am Kanal standen Tische, an denen Gäste in der milden Luft zu Abend aßen. Passanten gingen vorüber. Ein Mann erschien, er zog, den Blick starr nach vorn gerichtet, einen beräderten mittelgroßen Koffer hinter sich her. Rödels Augen blieben an ihm kleben.

Rödel sah auf den Mann, ich auf Rödel. Die Badelandschaft, die S-Bahn, der Fernbahn- und der internationale Flughafenanschluss, die Bläsergruppe zur Eröffnung, das alles ist doch ein Scherz, habe ich gesagt. Die Badelandschaft, den Bahnhof- und Flughafenanschluss, die Blechbläser und Holzbläser, die während der Eröffnung von dem Geräusch des Surfens und dem Rauschen der Wellen begleitet werden, das Meer in einzigartiger Weise in der Mitte der Stadt, antwortete Rödel, den ganzen Kram mit Europa, das Kreisgebietsreformausgleichsgesetz und die Frauenquote im Aufsichtsrat, das machen wir alles in einem Rutsch. Ich bin mir nicht sicher, ob Rödel die Andeutung des Wortwitzes, die Nähe von Rutsch und Wasserrutsche gewollt hat. Vielleicht wurde Rödel sogar erst mit diesem Satz, mit einem Scherz, den er in Inhalt und Ausmaß nicht mehr erkannte, endgültig des Wahnsinns Beute. Noch vor der Sommerpause wird das alles erledigt, no big deal, sagte Rödel als Nächstes. No big deal, das hat er wirklich gesagt, damals, an einem ganz normalen Montagabend einer Parlamentswoche, in jenem Restaurant, in dem wir einander so oft getroffen haben. Rödel saß mir gegenüber, die Sommerluft drang durch die geöffneten Fenster und erfüllte uns mit Zuversicht. Rödel hob sein Weinglas. Er prostete mir zu. Wir stießen an auf seinen Plan. Die Gläser klirrten. Ein besonderes Lächeln hatte Rödels Gesicht in Besitz genommen. Der Mann, der auf seinem Weg durch die Stadt einen Koffer hinter sich her gezogen hatte, war längst verschwunden.

Ob der Badelandschaftsbau
wohl so funktioniert?

Es gibt nicht viel auszupacken. Mein Gepäck besteht aus der Lektüre für die Überfahrt. Ich schlafe ein wenig. Vor dem Abendessen lese ich in der Akte. Der Deckel des Ordners zeigt ein Mädchen auf einer Wasserrutsche. Genau genommen rutscht das Mädchen nicht, sondern fliegt einige Zentimeter über der rosa-gelb karierten Bahn dahin. Ihre Zöpfe stehen seitwärts ab, ihre auf die Kamera gerichteten blauen Augen strahlen. Es braucht einen Moment, bis klar wird, was nicht stimmt. Zu fröhlich, denke ich zum vielleicht tausendsten Mal, ist schräg. Das ganze Bild ist ein wenig schräg, der Betrachter neigt bei längerem Hinsehen selbst den Kopf und gerät ins Rutschen. Die Aufnahme zeigt eine Wirklichkeit, die perfekter ist, als es die Wirklichkeit sein kann. Sie ist ein Scherz, der seine Höhe dadurch erreicht, dass unklar bleibt, ob der Fotograf die Überzeichnung als Scherz begreift.

Ich staune immer wieder darüber, dass es Rödel gelungen ist, seine Idee umzusetzen. Damals traf er auf ein Vakuum. Pläne über Pläne, alles gebaut. Überall Kräne, eine kranmüde Stadt. Schutt und Steine, Leere in den Köpfen, kein Architekt erzählt einen Traum. Warum, hat Rödel damals gerufen, hinein in diese Kranmüdigkeit, die Kranmüdigkeit der Gesichter, die Kranmüdigkeit der

Verwaltung, hinein in die kranmüden Augen des Bürgermeis-ters, wollen wir nicht einmal etwas wagen?
Etwas, das niemand sonst zu bieten hat?
Wir bauen keine Hotels, keine Geschäfte.
Wir denken nicht immerzu an Geld.
Geld ist keine Währung am Himmelstor!
Neben dem Rathaus, rief Rödel, nur einen Steinwurf vom Par-lament entfernt, da setzen wir, da setzt die menschenwürdige Stadt ein Zeichen. Die menschenwürdige Stadt stellt den Men-schen in ihrer Mitte in die Mitte! Da schafft sie eine Badeland-schaft. Eine Badelandschaft, die einzigartig ist.
Eine Badelandschaft so schön wie nirgendwo sonst!

Die kranmüden Gesichter regten sich. Das war gut. Das hatte ihnen gefallen.
Es stimmt doch, Berlin denkt nicht immerzu an Geld.
Die menschenwürdige Stadt. Stadtlandschaft, Kulturland-schaft, Badelandschaft. Berlin mag Landschaften. In Berlin ist für jede Landschaft Platz.
Die kranmüden Gesichter sahen auf.
Badete der Bürgermeister gern?

Der nickte. Da nickten die Gesichter auch. Rödel sprang von seinem Stuhl auf und riss die Arme in die Höhe. Und strahlte. Und lachte sie an.

Rödel gewinnt die Menschen im Fluge. Womöglich bin ich der Einzige, der von Rödels Wahnsinn überzeugt ist. Ich schlage die Akte auf. Dem Mädchen auf dem Pappdeckel folgen einige bunte Seiten. Die Computerzeichnungen zeigen exakt, was Rö-del mir damals am Schiffbauerdamm beschrieben hat. Obwohl mit feinem Strich dargestellt und nur mit Pastellfarben unterlegt, macht die Badelandschaft einen großartigen Eindruck. Das zentrale Schwimmbad hat ein gelbes Dach, das von der Mitte her in der Struktur einer Pupille geöffnet ist, ganz so, als wäre diese Öffnung selbst das Auge des Betrachters, der von oben auf ein riesiges Bassin blickt. Trotz der zarten Farbtöne scheint das Wasser zu funkeln. Eine elegante Andeutung roter Striche markiert die Bahnen. Zwischen achtundvierzig Säulen stehen zwei schlanke Sprungtürme, von deren Rückseiten Wasserrutschen abgehen. Die Rutschen sind leichtsinnig geschwungene, bunte Luftstraßen, sie senken und erheben sich, sie drehen ab und verlassen das Gebäude, sie sind frei und schlagen Loopings unter dem Himmel. Die Badelandschaft liegt in einem prächtigen Park. Zwischen altehrwürdigen Bäumen sprudeln Brunnen, die Bachläufe speisen, die in grünen Liegewiesen mäandern. Die Badelandschaft ruht in sich und in der Mitte der Stadt.

Den Computerzeichnungen folgt eine Zusammenfassung des Inhalts der Unterlagen, dann ein Überblick über den Baustatus und die Finanzen. Es gibt einzelne Projektpläne, deren Fortschritt mit Ampeln bewertet ist. Hinter den Projektplänen kommen ein Schwerpunktthema sowie ein Zeittableau, das Anhänge ergänzen. Die Akte umfasst mindestens zweihundertfünfzig Seiten. Die Ampeln der Projekte befinden sich am rechten oberen Rand der Charts. Nur wenige sind grün. Ist eine Ampel rot, so folgt auf der nächsten Seite die Darstellung des kritischen Pfades. Das Projekt wird in Teile untergliedert, die Teile wieder in Teile, jeder Teil bekommt einen eigenen Zeitlauf, einen Strich, der das Bild von einem Punkt von links nach rechts durchmisst.

Abendlicht
und Feuerstein

Geschichten. Wir sitzen am Esstisch im Wohnzimmer. Auch die Tischdecke ist rot. Die Fenster auf der rückwärtigen Seite des Hauses gehen auf einen Rasen, dahinter stehen die Kiefern. Ich habe von der Fahrt erzählt und von Berlin. Natürlich kennt sie Hansen. Wie auch den Fischer, der uns abgeschleppt hat. Hier kennt jeder jeden und fast alle sind irgendwie miteinander verwandt.

Wohnzimmer heißen Döns, sagt sie.

Wer nicht weiß, wie Gesetze und Würste gemacht werden, kann besser schlafen, soll Bismarck gesagt haben, sage ich.

Wir lachen ein wenig. Wir sehen hinaus.

Die Lämmer, sagt Kathrin Knudson mit ihrer rauen Stimme, werden auf den Halligen geschlachtet. Sie hat die Beine über einander geschlagen, die Jeans und der eng anliegende Zopfpullover betonen ihre makellose Figur. Wir sitzen einander gegenüber, wir reden und schweigen. Wir trinken Rotwein. Heute wird niemand mehr kommen. Niemand geht. Die Sonne ist hinter den langen Nadeln der Kiefern verschwunden. Über Wiesen und Meer bietet der Himmel ein Spektakel aus Rot, Orange und Gelb.

Und Sie? Es ist egal, ob ich die Frage stelle, sie steht im Raum. Kathrin Knudson sieht sich um, als wollte sie sich vergewissern. In die hinter ihr liegende Wand ist eine Reihe hellblauer holländischer Kacheln eingelassen. Neben einem der Sessel steht ein Sofa, das Ölgemälde darüber zeigt einen Segler auf stürmischer See. Auf flachen Tischen und dem Boden stapeln sich Bücher und Magazine. Auf einem silbernen Tablett stehen Flaschen aus Porzellan und aus geschliffenem Glas. Die Korkenköpfe sind lustige Gestalten. Ein General mit Dreizack und goldenen Knöpfen, eine Meerjungfrau, ein Zwerg, der ein Beil schwingt, ein Fisch und ein Humpen. Neben dem Tablett liegen schwarz-weiße Feuersteine.

Kathrin Knudson folgt meinem Blick. Die Dinge, sagt sie, sammeln sich an.

Die bauchigen Gläser werden mit Wein gefüllt. Die Gläser, denke ich, sind zu groß für das Haus. Alles wird aufbewahrt, die Geschichten auch. Was gewesen ist, sagt Kathrin Knudson, hat für mich keine Bedeutung. Die Geschichten von damals sind nicht mehr als Freunde aus einer anderen Zeit. Es hat sie gegeben. Ich denke nicht oft an die Vergangenheit. Eine Hallig ist ein Wellenbrecher für die Küste. Meerschlick und Festlandreste, ein Meter über dem mittleren Wasserstand. Ein wenig Böschung, die das Stück Boden, auf dem das Haus steht, zusammenhält. Nichts geschieht hier von selbst. Kein Pizzaservice, kein Klempner. Keine Geschäfte, kein Krankenhaus, kein Bus.

Wenn ich aufwache, weiß ich, ich bin dran. Ohne mich versinkt die Warft im Meer.

Kathrin Knudson lächelt. Ich gehöre zur See wie die See zu mir gehört.

In diesem Haus macht alles Sinn.

Die Menschen, sagt Kathrin Knudson, sind hier in der Minderheit. Vier hier, fünfzehn dort. Eine Handvoll Schüler, ein Lehrer, der Stoff von mehreren Schuljahren in einem Klassenzimmer. Wir duzen einander, nur wenn es offiziell wird, kriegen der Bürgermeister und der Lehrer ein Sie. Wir stehen für einander ein. Die Haustüren sind unverschlossen. Wir halten zusammen wie Tod und Teufel. Wir wissen, wo wir sind und wo wir enden. Kein Kranker bleibt allein. Keine Fahrt zum Festland, ohne etwas für andere mitzubringen.

Wie sollte es anders sein, blicken wir doch zu jeder Stunde auf das gleiche Meer?

Kathrin Knudson sieht mich an. Den Wetterbericht höre ich im Radio. Musik stelle ich laut. Ich stehe in der Küche und singe. Ich sitze still auf dem Wall. Die Musik ist für den Augenblick. Ich lausche ihr hinterher. Das Radio auf dem Küchentisch berichtet auch von der Welt. Ich weiß, wann Sendungen beginnen. Manche Stimme ist mir vertraut. Ich gebe ihr ein Gesicht. Es tut gut, aufmerksam zu hören. Ich fühle mich nicht einsam. Ohne das Radio bleibt mir das Haus. Dann bleiben mir Land, Meer und Himmel. Klar zu sehen ist mir wichtig. Zu wissen, dass die Dinge unwiederholbar sind. Dass alles vorübergeht.

Kathrin Knudson schweigt für einen Moment. Sie blickt in die Kerze. Sie sieht mich an und liest meine Gedanken.

Mit privaten Gefühlen, sagt sie, halten wir uns lieber zurück. Auf der nächsten Warft leben andere ihr Leben. Jeder hat seinen Weg. Meine Gäste begleite ich bis zur Fähre. Immer stehe ich am Anleger und warte auf den letzten Gruß. Immer sehe ich auf das Schiff, während es verschwindet. Ich sehe auf einen Punkt, der kleiner und kleiner wird.

Immer blicke ich auf die See.

Während die Fähre auf der anderen Seite in den Hafen läuft, gehe ich über die Wiesen in mein Haus. Während die Gäste

auf dem Festland in ihren Wagen steigen, mache ich mir Essen.
Wenn sie die Autobahn erreichen, sitze ich hier. Auch der Weg
zurück ist ein Band, das uns mit der Welt verbindet.

In der Ferienzeit, sagt Kathrin Knudson, begegnen sich die
Fähren manchmal auf der Hälfte des Weges.

So reden wir nicht in der Stadt. Der Horizont hat sich grau
eingefärbt. Hinter dem Haus ist es fast dunkel. Der Blick in
zwei Himmelsrichtungen ist einzigartig. Die Abendluft kommt
durch das geöffnete Fenster herein. Salz und Jod, Blüten und
das Harz der Kiefern. Es gibt Kartoffelsuppe mit Sahne und
Speck. Es gibt noch mehr Rotwein, später Käse aus einem kleinen, vergitterten Schrank. Der ist alt und steht mit hölzernen
Beinen auf einem Absatz der Kellertreppe. Die Stunden verstreichen. Von Zeit zu Zeit sehen wir einander an. Wir blicken
in die Nacht hinaus. Kathrin Knudsons schulterlangen dun-
kelblonden Haare glänzen im Kerzenlicht. Ihre Augen und ihr
großer Mund sind kraftvoll und schön. Verletzlich, denke ich,
sind sie auch. Von der Seite betrachtet, spiegelt die große Fensterscheibe das Wohnzimmer. Obwohl ich noch immer meinen
Anzug trage, obwohl ich keine Zahnbürste und kein zweites
Hemd mitgebracht habe und meine Pläne Makulatur sind,
liegt ein Lächeln auf meinem Gesicht. Ich fühle mich seltsam
unbeschwert. Ich stelle mir vor, dass Gott aus der Mitte fun-
kelnder Sterne zu uns herabblickt. Da ist ein Haus, Lichter
blinken im Schwarz des nächtlichen Meeres. Da sitzen zwei
vor einer breiten, roten Kerze. Aus einem mir unerklärlichen
Grund ist hier vieles rot.

Wir gehen spät zu Bett. Das rotierende Feuer des Leuchtturms
kommt über die Wiesen durch das halbmondförmige Fenster

in mein Zimmer, es zieht über die schräge Decke durch den Raum, wandert wieder zu den Wiesen hinaus und verschwindet über der dunklen See. Ich warte, ich folge dem Lichtstrahl mit den Augen und denke an Kathrin Knudsons Worte. Ich überlege, warum der Leuchtturm und der Strandkorb Streifen besitzen. Warum gibt es an der Nordsee Strandkörbe, an der Ostsee und nirgendwo sonst auf der Welt? Ich schlafe ein.

Politik
und Nebelschwaden

Ich lege meine Unterlagen auf die Treppe und betrete das Wohnzimmer. Ein Blick durch das große Fenster, der Himmel ist bedeckt. Zu meiner Überraschung bin ich allein. Obwohl Kathrin Knudson Räume vermietet, macht alles hier einen privaten Eindruck. Ich zögere, dann setze ich mich an den liebevoll gedeckten Tisch. An einem Marmeladenglas lehnt eine Karte, deren Rand mit bunten Blumen bedruckt ist.

Als ich den Text ein zweites Mal lese, springt der Tag aus der Spur. Hansen war da, die Reparatur des Bootes wird bis morgen dauern. Die erste Fähre ist schon fort, die zweite fällt heute aus. Ausnahmsweise, die Mannschaft macht einen Betriebsausflug. Wollen Sie noch bleiben?

Ein Betriebsausflug! Langsam lege ich die Karte auf den Tisch. Ich erhebe mich, schiebe den Stuhl behutsam heran, streiche meinen Anzug glatt und gehe zum Fenster. Da bleibe ich stehen und sehe hinaus. Ein ausgefallener Schiffsmotor, eine Nacht an der See, eine Episode, vorbei. Eine Anekdote für lange Sitzungen, nichts, das mich berührt. So hatte ich es mir zurechtgelegt. Die Wolken ziehen dicht über der Hallig dahin. Hinter dem Wall verschwimmen Nebel und Wiesen im Grau.

Keine Zeitung. Kein Fernseher. Kein Telefon. Ich starre auf das Radio. Für eine Sekunde bin ich davon überzeugt, dass ich mit diesem Gerät meine neuen Nachrichten abrufen kann. Es muss einfach gehen. Was wird aus meinen Terminen? Meine Termine kann nur ich wahrnehmen, meine Termine sind meine Termine, ich nehme sie wahr, niemand sonst. Morgen ist so weit entfernt wie das Ende der Welt. Und wer weiß, ob es morgen mit der Rückfahrt klappt. Dieser Ort ist das Ende der Welt. Ich befinde mich mutterseelenallein auf einer Warft, auf einer Hallig, irgendwo im Meer. *Mutterseelenallein.* Ein Wort, in das sich alles fügt. Vielleicht hat man mich auf dem Festland bereits aufgegeben. Ich will gar nicht an das Festland denken. Ich bin von dem Erdball verschwunden, auf dem ich lebe.

Ich kann es nicht anders sagen, ich liebe meinen Job. Abgeordnete sind Politikunternehmer, wir unternehmen etwas in Sachen Politik. Wir unternehmen etwas mit dem Staat, wir unternehmen etwas mit Ideen. Aus Gedanken wird mit uns gesellschaftliche Wirklichkeit. Wir arbeiten im Auftrag des Wählers. Wenn wir davon überzeugt sind, dass etwas richtig ist für unser Land, treten wir dafür ein. Die Nachrüstung, zum Beispiel! Oder die Wiedervereinigung! Der Euro! Europa! Das sind Themen! Stets geht es um die Zukunft. Bevor die Politik loslegt, ist die Zukunft nicht mehr als eine Landkarte mit weißen Flecken. Lauter weiße Flecken, nur hier und da ein Punkt. Ohne Politik fängt die Zukunft nicht an.

Natürlich, wir betreiben ein schwieriges Geschäft. Die Politik erprobt sich, indem sie mit sich spricht. Erst ein Gedanke, ein paar Sätze, ein paar Ballons, die wir steigen lassen, Ballons, die wie von selbst in die Luft gestiegen sind. Da schweben sie und warten auf das Konzert der Meinungen. Alle gucken hin. Dann geht es los. Eine erste Stimme. Eine zweite Stimme. Stimmen. Jeder kann etwas sagen. Wir beziehen Stellung und sehen uns dabei um. Wir blicken auf den Beitrag der anderen. Wir lesen die aktuellste Umfrage. Was schreibt die Morgenzeitung? Wie klingt die Botschaft in den Nachrichten? Was steht im Netz? Wir zerren unsere Programme hervor. Wir kommen auf die guten alten Vorurteile zurück. Wir reden über uns selbst.

Die Kamera läuft.
Ein echter Politiker liebt die Kakophonie der Stimmen.

Wer die großartige Kakophonie der Stimmen nicht liebt, wer nicht in der Lage ist, ihre Zwischentöne zu lesen, wer nicht hört, wer redet und wer schweigt, wer Hans Wurst nicht von der ersten Reihe trennt, wer nicht deuten kann, was uns die großartige Kakophonie der Stimmen sagt, der wird von ihr erdrückt. Den lähmt sie mit ihrem Gift. Ein Gedanke ist ausgedacht, ein Gedanke ist ausgesprochen, er hat sich verabschiedet, er wandert durch die Ränge. Der Gedanke verschwindet hinter den Vorhängen, er tanzt über die Bühne, er lacht uns an und wird verdroschen. Der Gedanke versteckt sich einige Tage, er leckt seine Wunden, er biegt sich. Er wächst sich zurecht. Der Gedanke probiert ein neues Kleid.

Nur Idioten glauben, dass hinten herauskommt, was vorn einer sagt.

Einer, der die stille Post nicht beherrscht, hat in der Politik nichts zu suchen.

Im Kreis, im Kreis, im Kreis.
Sehen und hören.
Flüstern.

Ein wenig ziehen, ein wenig schieben.
Hier wird abgeschlagen, dort wird angebaut.

Warten.

Im Kreis, im Kreis, im Kreis.
Sehen und hören.
Flüstern.

Ein wenig ziehen, ein wenig schieben.
Hier wird abgeschlagen, dort wird angebaut.

Warten.

Geduld, mein Freund, bleibt das Erfolgsrezept in Mutters Küche. In der Politik stürmst du nicht mit deinen Träumen durch die Tür. Du kannst nicht Politik machen, wie du einen Nagel in die Wand haust. Du musst laut sein und leise. Listig. Darum herum. Ein Politiker muss warten können. Mal sehen, wie es läuft. Mal sehen, was machbar ist. Wer in der Politik nichts anderes hört als Worte, ist taub. Wer keine Geduld hat, verliert. Und wer nicht bereit ist, seinen Standpunkt zu ändern, ist tot. Nur wer lange genug im Rennen bleibt, kommt ins Finale.

Nach allem Gerede, nach allem Schweigen, nach Meuchelmorden und vergiftetem Lob braucht der Politiker den richtigen Satz zur richtigen Zeit. Den richtigen Satz zur richtigen Zeit am richtigen Ort zu sprechen, das ist die wahre Kunst der Politik! Das ist der Kick! Ein einziger Satz kann die Richtung geben. Der macht den Punkt. Der richtige Satz zur richtigen Zeit am richtigen Ort macht das Spiel.

Ich denke an Meinsteiner. Was wohl los ist in der Hauptstadt? Ich überlege, worüber beraten wird. Ich sitze allein an dem Esstisch und frage mich, wer in Berlin zusammensitzt. Wer zusammen über die Gänge geht. Ich zähle laut auf, welche Termine heute platzen.

Der verfluchte Nebel. Draußen ist kaum etwas zu erkennen.

Ich weiß nicht, warum ich mich so ereifere. Ich habe ausgespielt. Ich gelte als zuverlässig. Mein Mandat nehme ich ernst. Über die Jahre habe ich mir einen guten Ruf erarbeitet. Es kann nicht sein, dass Treffen verabredet, dass Sitzungen vorbereitet werden, und ich gehe nicht hin. Sicher laufen schon die ersten Gerüchte. Mit einem kleinen Boot unterwegs. An der Nordsee vermisst. Wer könnte mich ersetzen?
Wahrscheinlich gibt es auf dieser Hallig keinen einzigen Menschen, der etwas von Schiffsmotoren versteht. Ebenso wenig wie von Funknetzen. Ich lege mein Telefon wieder auf den Tisch. Ich sitze einfach nur da. Es macht mir Mühe zu begreifen, dass sich mein Tagesplan in Luft auflöst. Ich blicke auf die bunten Flaschenkorken, dann aus dem großen Fenster hinaus. Wie kann das Wetter so schnell umschlagen? Nebel ist mir nicht geheuer.

Bellinger hat mir das eingebrockt. Bellinger habe ich das hier zu verdanken. Bellinger mit seiner immerzu fabelhaften Laune

und seinen immerzu fabelhaften Ideen. Wir saßen in der Sessel-
ecke neben meinem Schreibtisch. Bellinger hatte die Pläne der
nächsten Wochen vor sich ausgebreitet. Einen kleinen Abste-
cher, hat er gesagt, den kriegen wir noch hin, bevor es zurück-
geht, in die Hauptstadt. Zwei Stunden, mehr nicht, höchstens,
eine Bootsfahrt, fast ein Ausflug. Sie werden es mögen! Das
hat Bellinger gesagt, Sie werden es mögen, husch, husch über
das Wasser und zurück, die Überfahrt keine halbe Stunde, Seeluft, Seeluft, herrlich, und die Leute auf der Hallig freuen sich
wie verrückt. Fast nie, hat Bellinger gesagt, kommt da jemand
vorbei. Die Leute auf den Halligen leben in einer anderen Welt.
Die kennen Politiker nur aus dem Fernsehen. Aus dem Fernsehen! Beinahe unvorstellbar. Ein Fernsehteam, das nehmen Sie
natürlich mit. Das ist genial, die Leute sehen Sie, die Leute sehen Sie live, die Leute sehen, wie Sie und sie selbst im Fernsehen in die Nachrichten kommen, die gucken am Abend auf
den Bildschirm und die ganze Westküste und der Sender freuen
sich mit. Win, win ist das.

Win, win, win!

Ich habe nicht gesagt, dass ich für einen Augenblick irritiert
gewesen bin. Die Westküste, San Francisco, das Lied von Scott
McKenzie, *be sure to wear flowers in your hair*, ein Schmach-
ten, eine unsterbliche Melodie, eine unsterbliche Sehnsucht
nach Licht und Glück, verstreut über eine Stadt, die über Hügel verstreut ist. Ein einziges Lied, dessentwegen ich so viele
Jahre nach San Francisco reisen wollte. Blumen im Haar, habe
ich gedacht, während Bellinger mich angestrahlt hat. Bellin-
gers ganzes freundliches Gesicht strahlte, und in seinem Lächeln leuchtete Frieslands Küste.

Ich weiß, dass Bellinger loyal ist. Loyalität ist viel wert in der Politik. Bellinger ist loyal und voller Tatendrang. Bereisungen sind sowieso so eine Sache. Der Trick ist, dass man sich am Anfang gar nicht bewusst macht, wohin es geht. Dass man vor der Abreise nicht fragt, wie weit es ist. Vor der Abreise darfst du auf keinen Fall auf die Landkarte sehen. Die Route darfst du erst begreifen, wenn du auf dem Rückweg bist, wenn du dir müde überlegst, wie weit es bis zum eigenen Bett noch sein kann. Bellinger saß da und wartete auf Antwort. Es war schon spät, das Vorzimmer längst dunkel. Eine Überfahrt, Seeluft, zwei Stunden, warum nicht? Ich habe genickt.

Anstatt mitzukommen, ist Bellinger im Büro geblieben. Ich verspreche, Bellinger wird mich nicht wiedererkennen, wenn ich ihn in die Finger kriege. Das Fernsehteam hat noch in der Fabrik während der Fabrikbesichtigung abgesagt. Schon die Fahrt zur Küste war ihnen zu weit. Das muss schon fetzen, damit die Journallie in Berlin ihren Hintern früh um fünf Uhr aus dem Bett bekommt. Ein fetter Mord, einstürzende Schulen, ordentlich Tote, dann vielleicht. Der Umfang der Berichterstattung schrumpft umgekehrt proportional zum Wachstum der Entfernung der Ereignisse von der Hauptstadt. War da nicht ein nachsichtiges Lächeln, als ich die Hallig gegenüber den Journalisten erwähnte? Eine letzte Aufnahme auf dem Deich, dann waren sie weg. Als ob die Journalisten gestern Mittag schon geahnt hätten, was kommen würde. Dass der Motor von dem Boot, das wir gemietet haben, damit es schnell geht, damit ich am Abend wieder auf dem Festland bin und eine Rede halten kann, verreckt. Dass wir nach unserem Funkspruch stundenlang auf dem Meer treiben. Ein debiler Kapitän, gerettet von einem debilen Fischer. Moin, moin rief

Hansen, als das Boot endlich längsseits kam. Als ob man sich täglich an dieser Stelle träfe, meilenweit entfernt von jedem Land. Moin, Moin rief der Fischer zurück. Sonst nichts. Kein einziges weiteres Wort haben die beiden Männer miteinander geredet. Kein einziges Wort, nicht als Hansen den Tampen geworfen hat, nicht während der Schlepperei und auch nicht später, als wir uns trennten.

Ich frage mich, was die Presse sagen würde, wenn sie mich hier sehen könnte. Mitten in der Nordsee. Im Nebel. Gestrandet und ausgeschlossen. Ich rücke zum Tisch und strecke den Rücken durch. Die Suppe draußen ist inzwischen derartig dick, dass nicht einmal die Wiesen zu erkennen sind.

Wie überstehe ich die Zeit, bis das Boot kommt? Ich habe gestern zu viel gegessen, fühle mich schwer und bedrängt. Überall in diesem Raum stehen die Dinge so dicht beieinander. Wenn wir schwach sind, schrumpft unsere Existenz. Ich denke an das Schlafzimmer mit seinen schrägen Decken. Ich sehe das Haus, wie es sich auf der Warft klein macht, wie es sich duckt unter Wetter und Wind. Nur in der Mitte des Schlafzimmers kann ich gerade stehen. Das Haus will auch mich klein machen, es drückt mich im Bauch seiner verzagten Gegenwart.
Meine Welt will einstürzen. Ich nehme mich zusammen. Noch ein einziger Tag. Ich atme durch. Ich hole mein Telefon aus der Tasche. Vielleicht verbessert der Nebel den Empfang. Ich starre auf das Display. Ich starre hinaus.
Nichts.

Der gesunde Menschenverstand
auf der Baustelle

Ich nehme die Unterlagen von der Treppenstufe und gehe wieder nach oben. Ich setze mich auf mein Bett und blättere bis zu den Projekten. Jedes Chart enthält mindestens zwanzig Zeitläufe, die als Striche dicht untereinander angeordnet sind. Punkte auf den Strichen bezeichnen Ereignisse. Ein roter Weg, der kritische Pfad, springt von Strich zu Strich. Von einem Ereignis zum nächsten. Die Darstellung soll zeigen, in welcher Weise Aktionen voneinander abhängig sind. Über sechzig Seiten, jede mit einer Vielzahl an Zeitläufen und einem kritischen Pfad.

Ich weiß nicht recht. Voneinander abhängig sind die Dinge bestimmt. Viele Sachen im Leben sind ja in irgendeiner Weise voneinander abhängig, warum nicht auch im Bau, erst recht im Bau, wo doch alles ineinandergreift. Es gibt Erdarbeiten, Stahl- und Betonarbeiten, es gibt den Trockenbau, den Innenausbau, Leitungen, Elektronik, Kabel, Stecker und Schalter, da sind tausend und mehr Dinge, die bedacht werden wollen. Alles auf dem Bau greift immerzu ineinander, immerzu muss irgendeiner fertig sein, bevor ein anderer beginnen kann. Gut, aber was bedeutet das?

Zwanzig multipliziert mit sechzig.

Ereignisse, Punkt neben Punkt, kaum zu zählen.

Eine rote Linie, die von Strich zu Strich und über die Seiten springt.

Ich frage mich, wie man das lesen soll. Missmutig blättere ich vor und wieder zurück. Im Grunde ist eine Unterlage in diesem Zustand der Undurchdringbarkeit eine Zumutung. Ich meine, der Aufsichtsrat will die Badelandschaft ja nicht selber bauen. Wenn es darum geht, ob die Leitung links oder rechts herum läuft, gibt es dafür schließlich Ingenieure. Man sagt, dass wir eine Nation von Ingenieuren und Handwerkern seien, da wird doch wohl irgendjemand zur Verfügung stehen! Auch wenn viele Dinge wichtig sind, muss es gelingen, das Ganze einfacher aufzubereiten.

Was mich außerdem misstrauisch macht: dass kein Eröffnungstermin vermerkt ist. Müsste nicht irgendwo auf diesen mindestens zweihundertfünfzig Seiten, auf denen eine solche Vielzahl an Einzelheiten, an technischen Details und Zeitplänen und Zahlenwerken festgehalten ist, meinetwegen am Rand, meinetwegen kursiv in einer Fußzeile, meinetwegen auch in Klammern, in einer Ecke, in einem kleinsten Eckchen dieser vielen, bis oben hin voll geschriebenen Blätter, müsste da nicht irgendwo vermerkt sein, wann die Badelandschaft ihrer Bestimmung übergeben, wann das Baden in den Bädern der Badelandschaft möglich wird? Oder ist der Eröffnungstermin vielleicht geheim? Ein Geheimnis, das dem Aufsichtsrat und der Öffentlichkeit bis zum letzten Tag verborgen bleiben soll?

Die anderen im Aufsichtsrat kapieren das nie. Wenn das Management sein Zeug nicht einfacher aufbereiten kann, das ist meine Meinung, dann haben die selbst nicht begriffen, was sie da tun. Dann haben die selbst den Überblick darüber verloren, wann hier was fertig werden muss, damit dieser und jener weitermacht und dieses und jenes beginnt.

Ich bin verärgert. Ich sitze auf dem Bett und frage mich, wer bei dem Bau eigentlich den Hut aufhat. Als ich Rödel vor einigen Wochen auf den Zeitpunkt der Fertigstellung ansprach, als ich Rödel fragte, warum nirgendwo in diesen ganzen Papieren, nirgendwo in diesem Wust aus Informationen und Malerei, den wir inzwischen alle vier Wochen erhalten, ein Datum für die Inbetriebnahme steht, hat er versucht, mich zu beruhigen. Rödel sagte, es ist doch ganz einfach. Betrachten Sie den Bau mit gesundem Menschenverstand. Die Leute sprechen sich vor Ort miteinander ab. Immer, wenn etwas ansteht, dann trifft man sich. So, sagte Rödel, wie handfeste Leute das eben tun. Man trifft sich und dann wird geredet. Rödel meinte, ich bräuchte mir keine Sorgen zu machen. Der Mensch sei von Natur aus vernünftig, so ein Bau habe doch eine gewisse Logik und die Handwerker wollten ja schließlich auch irgendwann einmal nach Hause. Die Handwerker wollten ja auch irgendwann einmal fertig werden. Die Handwerker, sagte Rödel, werden das schaffen, die denken sich Stück für Stück in unsere fabelhafte Badelandschaft hinein, die spüren doch auch, was da Fabelhaftes mit Hilfe ihrer Hände Arbeit entsteht. Jeder sieht doch, was da Großartiges wird. Und, rief Rödel, die Handwerker wollen auch baden! Baden wie wir! Rödel war aufgestanden, er nickte mir zu und strahlte mich an.

Baden wie wir. Ich weiß nicht recht. Ich verstehe nicht viel vom Bau, aber mein gesunder Menschenverstand sagt mir, dass ein Datum für die Inbetriebnahme hilfreich ist. Wozu braucht man die ganzen Zeitpläne, wenn das Ende offenbleibt? So lange das Ende offenbleibt, macht jeder, was ihm gerade gefällt.

Dieses Dickicht aus Linien ist tatsächlich völlig undurchdringbar. Nächste Woche haben wir Sitzung. Ich blättere weiter und stoße auf das Schwerpunktthema. Im Grunde, steht da, laufen die Dinge ziemlich nach Plan. Ein wenig schwieriger ist es nur mit dem Schwimmbad. Der Bau der Halle schreitet voran, aber mit dem Wasser gibt es Probleme. Es folgen einige Seiten mit Zeichnungen. Ich entdecke wieder ein Blatt, das über und über mit Linien bedeckt ist. Ob das die Wasserversorgung sein soll? Wenn ja, wo ist das Bad? Oder ist der rote Strich wieder so ein kritischer Pfad? Ich drehe erst meinen Kopf, dann die Akte hin und her. Die Linien, denke ich, sind ein Labyrinth. Die Unterlagen sind ein Labyrinth. Nun ja, das ganze Leben ist gewissermaßen ein Labyrinth, in dem man sich verlaufen kann. Immerhin, ich bin vorbereitet. Ich klappe den Aktendeckel zu. Ich betrachte noch einmal das Mädchen auf der Wasserrutsche. Schräg. Unten schlägt die Haustür.

Im Watt
regiert der Wurm

Ein Sandfresser und sein Schlick, eine riesige Verdauungs-
symbiose, eine Umwälzungsmaschinerie, ein Schmatzen, ein
gigantisches, ein milliardenfaches Fressen und Koten, es reicht
von hier bis zum Horizont. Ich wandere auf einem braunen,
löcherigen Magen, er arbeitet lautlos, er verschlingt, was er
bekommt. Watt und Wurm sind mir fremd. Ich bewege mich
vorsichtig. Ich achte auf den kleinsten Unterschied, ich setze
Schritt für Schritt. Der Nebel ist verschwunden. Wolken ziehen am Himmel dahin und spiegeln sich in Pfützen. Neil Arm-
strong war der erste Mann auf dem Mond, der erste Mann im
schwarzen Anzug im Watt bin ich. Kaum dass wir die Salzwiesen verlassen haben, reicht der Schlick schon bis an den Rand
der gelben Gummistiefel. Bei Ebbe ähnelt das Watt brachem
Boden nach langem Regen. Es bildet eine nasse, gesichtslose
Fläche bis zu einer fernen Grenze, hinter der das Meer beginnt.
Eine Fläche ohne auch nur einen einzigen markanten Punkt.
Das Meer schimmert silbern vor dem Horizont. Das Meer ist
eine Sirene, die den Betrachter lockt.

Außer Kathrin Knudson und mir ist weit und breit niemand
zu sehen. Inzwischen verstehe ich das. Inzwischen erwarte
ich sogar, hier allein zu sein. Ich bin davon überzeugt, es ge-

hört zur Eigenart der Wattlandschaft, dass keine Begegnungen stattfinden. Dass man auf diesem Land allein ist, das auf so unheimliche Weise im Meer mit seinen Gezeiten auftaucht, um alsbald wieder unter der Last der Flut zu versinken. Vor so einer Kulisse verbietet sich Geselligkeit. Wenn zwei Wanderer einander als ferne Punkte im Watt entdecken, wendet sich einer von ihnen ab und läuft in die andere Richtung bis zum Horizont. Warum auch nicht? Was macht es ihm schon aus, das Ziel zu wechseln? Menschen, die nicht von selbst verschwinden wollen, saugt die Natur einfach auf. Sie saugt sie in sich hinein, sie verbringt sie in ein Anderswo. Sie verschluckt sie ohne Wenn und Aber, schon lange bevor sich die Möglichkeit der Begegnung in einer deutlichen Weise abzeichnet, bevor sich eine Begegnung konkret anzubahnen vermag, bevor zwei einander als Person erkennen und in ihrem Kopf die Idee entstehen kann, einander etwas zu bedeuten. So kommt es, dass ein Wattbewohner, ein Warftbewohner mit dem Watt spricht, mit der Warft, mit dem Wind, mit Gott und dem Vieh. Fast nur mit dem Watt, mit der Warft, dem Wind, mit Gott und dem Vieh. Womöglich sind die Bewohner der Hallig tatsächlich Meermenschen, eine besondere Spezies, die nur das Meer auf seinen kleinsten, seinen flachen und abgelegenen Inseln hervorzubringen vermag, gewissermaßen Abtrünnige, Festlandsabtrünnige, Lebewesen sui generis, solche, die festen Boden nicht schätzen.

Aber als Freund den Fisch.

Ich hänge meinen Gedanken nach und folge Kathrin Knudson, die mit sicherem Schritt vorangeht. Unsere Schuhe graben sich mit einem Gurgeln ein und kommen mit einem Schmatzen wieder aus dem Braunen hervor. Nach einer Weile fällt Kathrin Knudson an meine Seite zurück. Was sie gestern verschwieg, spricht sie heute ohne Zögern aus. Kathrin Knudson ist in Berlin aufgewachsen.

Wir hatten eine Wohnung im Hinterhaus. So, wie es damals eben gewesen ist, dritter Stock, Etagentoilette und Kohleofen. Hausbrand nennt man das, der Hof riecht danach, den ganzen Winter. Kann man sich heute gar nicht mehr vorstellen. Der Eimer voller Briketts stand in unserer Küchenecke, daneben schichtete meine Mutter dünne trockene Hölzer zum Anheizen. Das Haus war nichts Tolles, überhaupt nicht, die Außenwände voller Einschüsse, Löcher, die von Jahr zu Jahr weiter gewachsen sind. An der Fassade zur Straße fehlten der Stuck und die Balkone, in unserem dunklen Eingang im Hinterhaus wartete eine Reihe verbeulter Blechbriefkästen, von denen immer wieder einige aufgebrochen wurden. Auf aufgeklebten Zetteln standen handgeschriebene Namen. Ich kannte jede Schrift und wusste, wer in welchem Stock wohnte. Trotz der ganzen Putzerei roch das Treppenhaus streng.
Für meinen Bruder und mich gab es nur eine Kammer neben dem Zimmer meiner Eltern. Unsere Wohnung war klein, trotzdem schön. Jeder Abend hatte ein gutes Ende. Unsere Nächte waren voller vertrauter Gerüche nach Haut und Haaren. Und voller Geräusche. Wenn etwas anders war als sonst, bin ich aufgewacht. Wenn einer traurig war, kroch er einfach unter die nächste Decke.
Lange ging es so, aber irgendwann starb der Eigentümer. Mit Mühe hatte er das Gebäude aus der Ferne erhalten, irgendwie auch treu, die Mieten waren niedrig. Eine Tochter erbte das Haus. Als wir sie das erste Mal sahen, kam sie gleich zur Sa-

che. Kasse machen, das möchte ich jetzt, hat sie fast mit der Begrüßung gesagt, nach der Zeit, in der wir nichts hatten, außer teuren Reparaturen. Jahrelang haben wir privat dazubezahlt, für ein altes Gemäuer in der Hauptstadt, für Berlin.

Jetzt mache ich Kasse, diesen Satz kann ich nicht vergessen, sagt Kathrin Knudson. Diesen Moment in der Mieterversammlung, in dem die Frau diesen Satz wiederholt hat. Sie war selbst schon älter, saß vorn und sprach mit zu lauter Stimme. Irgendwie sah sie überrascht aus, vielleicht hat sie sich gewundert, über die eigene Macht, über die Blicke der Mieter.

Über die plötzliche Aussicht auf so viel Geld.

Ich war dreizehn Jahre alt, saß zwischen meinen Eltern und habe gespürt, dass sich in diesem Moment etwas ändert. Ich bekam Angst und griff nach Vaters Hand. Sie zitterte. Erschrocken umklammerte ich seine Finger und habe mich gefragt, was bedeutet privat? War unsere Wohnung etwa nicht privat? Meine Eltern schwiegen, die anderen Mieter auch. Was als Treffen zum Kennenlernen angekündigt war, erwies sich als Anfang vom Ende. Der Verkauf des Hauses fand bald statt, dann wurde die Miete erhöht. Jedes Jahr ein Stück. Jedes Jahr ein weiteres Stück. Immer weiter, immer weiter. Meine Eltern gaben sich Mühe, in unserer Gegenwart haben sie nicht darüber gesprochen, wie knapp das Geld gewesen ist. Aber ich war alt genug, ich wusste Bescheid.

Das ist ein schreckliches Gefühl, sagt Kathrin Knudson, ihren Blick auf den Wattboden gesenkt, wenn man sich die eigene Wohnung nicht mehr leisten kann. Unser Zuhause. Wo sollten wir denn hin? Plötzlich habe ich mich vor den alten Briefkästen gefürchtet. In jedem Jahr kamen Einschreiben, der gleiche Umschlag, ein Brief mit fremder Unterschrift, von jemandem, den wir nicht kannten. Nach drei Jahren konnten meine Eltern die Mieterhöhung nicht mehr bezahlen. Sie hätten es getan, wir wollten bleiben, aber unser Einkommen war zu gering.

Meine Eltern haben sich dem Druck gebeugt, wir zogen aus.

Das kommt davon, sagt Kathrin Knudson mit einer leisen, festen Stimme, wenn man Menschen etwas gibt, das ihnen nicht viel bedeutet. Ein Haus, das sie weder erbaut noch mit eigener Anstrengung erworben haben. Es fällt in ihre Hände, ihnen ein Spielball, so viel Leben den anderen.

Das silberne Band des Meeres scheint viel breiter und näher zu sein als vorhin. Gehen wir in Richtung des Wassers oder kommt das Wasser zu uns? Ich drehe mich beiläufig um und sehe zurück. Eine riesige Fläche, dahinter, kaum erhöht, die Hallig. Heißt es nicht, das Wasser kommt von vorn und von unten? Ich bin wirklich nicht sicher, ob es klug ist, so weit hinaus zu laufen.

Kathrin Knudson sieht mir in die Augen. Wir stehen voreinander. Sie streicht eine Haarsträhne aus ihrem Gesicht. In den letzten Minuten haben sich meine Stiefel mit Wasser gefüllt. Ich spüre, dass sich meine Füße im Gummi festsaugen, und bewege sie vorsichtig. Das gibt ein ekelhaftes Geräusch. Manche sagen, ich sei galant, eigentlich fällt es mir leicht, mich aus einer Situation mit einem Scherz zu befreien. Jetzt nicht. Als ich die Zehen strecke, fühlt es sich in meinen Stiefeln noch nasser und kälter an als zuvor. Ich blicke auf Kathrin Knudson, starre an ihr vorbei auf das Meer. Sie wartet noch einen Moment, ob ich etwas sage, dann dreht sie sich um und geht weiter. Als wir den Priel erreichen, entledigt Kathrin Knudson sich mit leichter Hand ihrer Schuhe. Und ihrer Shorts. Sie beachtet mich nicht. Sie geht in den Priel hinein.

Wenn man denkt, es sei alles geschehen, geht es erst richtig los. Das Wasser in der Rinne strömt grünlich.
Eigentlich ist dies, schon aus geringster Entfernung unsichtbar, ein Fluss.

Ich blicke Kathrin Knudson hinterher. Ich stehe da und fühle mich im Watt, in der Endlosigkeit, vor dem Priel verlassen. Dies ist nicht der Ort, an dem ich sein sollte. Kathrin Knudson ist schon fast auf der anderen Seite angekommen.
Bei Flut, ruft sie, fahren hier ziemlich große Schiffe!
Ich antworte nicht. Das hier, denke ich, während ich versuche, aus dem Anzug zu kommen, mit dem anderen Bein noch tiefer im Boden versinke und einen Haufen braunen Schlicks in der Hose zurücklasse, ist nicht fair. Ich bin ein freundlicher Mensch. Ich bin mit wenig zufrieden, ich freue mich über Kleines. Diese Stunde habe ich nicht verdient. Ich denke daran, wie ich gestern früh den Anzug ausgewählt habe. Ein mühsamer Tag, da gönnst du dir etwas Gutes. Ich sehe, wie ich in den Kleiderschrank greife, wie ich einen Bügel herausziehe und über die Jacke streiche. Ein leichter italienischer Stoff.

Während ich an dem zweiten Hosenbein, dem italienischen Stoff, an meinem Wesen und den Umständen meiner Existenz hängen bleibe, zieht sich Kathrin Knudson bereits wieder an. Schlick quillt zwischen meinen nackten Zehen empor. Der Boden, in dem meine Füße versinken, ist hart und weich. Ich will es hinter mich bringen. Ich nehme meine Sachen und gehe los. Das Wasser ist viel kälter als gedacht. Es wird tiefer. Der

Strom zieht zwischen meinen Beinen hindurch. Es fühlt sich an wie ein scharfer Wind. Als das Wasser meinen Schritt erreicht, springe ich in die Höhe. Ich verliere die Fassung und quietsche wie ein Kind.

Ich quietsche wie ein Kind und Kathrin Knudson steht auf der anderen Seite der Fahrrinne und lacht. Ich kann gar nicht sagen, wie sehr ich mich schäme. Unwürdig ist das. Ich beiße mir auf die Zunge, wate weiter und überlege, ob es mir gelingt, mich zu ersäufen. Ich wate und stelle mir vor, dass ich ertrunken bin. Strandgut, ein nackter, aufgeblähter Leib, von Wellen umspült. Ich sehe das Photo in der Zeitung, eine Aufnahme, die den Leser anstarrt. Einige Muscheln und ein kleiner Krebs haben sich in meinem Schritt verfangen. Nachdem die Meldung erschienen ist, sammelt ein Blog Beiträge über mein Leben. Die Kollegen tuscheln auf den Gängen. Der Krebs befindet sich in seinem Element. Er krabbelt und öffnet seine roten Scheren.

Gestern Abend am Tisch, da hat es einen Moment gegeben, in dem ich dachte, sie ist eine Frau, ich bin ein Mann. Wir sind allein in diesem Haus. Was man im Kerzenschein eben so denkt. Das Abendessen scheint mir jetzt so unwirklich zu sein wie der Umstand, dass ich mich in diesem Priel befinde.
Ich eile in der grünen Brühe voran. Ich bin zu schnell und versinke bis zum Bauchnabel. Kathrin Knudson hat ein wunderbares Lachen, frei, von innen heraus. Das kalte Wasser verschlägt mir den Atem. Drüben schlüpfe ich, so schnell es geht, in meine Kleidung. Ich sehe sie nicht an. In meinen Gummistiefeln schwimmt etwas Hartes. Ich überlege mir, ob es lebt. Der Anzug hat nicht mehr viel mit Italien gemein. Der Schlick

klebt feucht im privaten Bereich. Ich will mir nicht vorstellen, wie das aussieht. Ich beschließe, meinen Koffer auf der Rückreise erst loszulassen, wenn ich die Haustür von innen abgeriegelt habe.

Unser Weg führt in einem großen Bogen zur Hallig zurück. Wir gehen, wir schreiten aus. Der Himmel ist blau. Die Luft ist salzig und klar. Die Sonne zieht gemächlich auf ihrer Bahn. Die Weite und das Licht über dem Watt sind unbeschreiblich. Kathrin Knudson erzählt von Seehunden, von Muscheln, von Krabben und Schnecken. Kathrin Knudson zeigt auf Algen und Gräser. Ihre Augen leuchten. Der Queller entstammt der Familie der Fuchsschwanzgewächse und wird auch Friesenkraut genannt. Der Queller ist essbar. Das Wasser steigt.

Auf sicherem
Boden

Das letzte Geräusch. Die Tür fällt in ihr Schloss, ein satter Klang, der Drinnen und Draußen trennt. Der Wagen ist mein Schutzschild, ein Wunderwerk an Präzision, ein kraftvolles Gebilde von aseptischer Sauberkeit. Die digitalen Ziffern der Klimaanlage zeigen wie gewohnt 18,5 Grad. Auf der Konsole liegen Zeitungen und Telefonliste. Erleichtert lehne ich mich zurück. Bellinger sitzt neben dem Fahrer. Der Wagen ruckt sanft und setzt sich in Bewegung. Ich blicke hinaus. Urlauber mit bunten Taschen verlassen die Fähre, Kinder springen fröhlich um ihre Eltern herum. Niemand beachtet uns. Wir passieren die Schranke und den Parkplatz des Anlegers. Wir kommen an einigen Imbissbuden vorüber und biegen auf die Landstraße ein.

Nach einer Weile dreht Bellinger sich zu mir um. Er sieht mich zögerlich an. Sein Blick hat etwas Hündisches. Sein krauses Haar wirkt wie angeklebt. Bellinger braucht sich keine Sorgen zu machen. Er hat jetzt nichts zu befürchten. So einfach werde ich es ihm nicht machen.

Na, wer hätte das gedacht.
Mitten in der Woche an der frischen Luft!

Die Seeluft, die Seeluft! Herrlich!
Nette Leute, besonders nett.
Da sollten Sie auch mal hinfahren.

Ich zwinkere Bellinger zu und nicke. Er kennt die Küste, mich kennt er auch. Bellinger ist nicht dumm. Ich kann sehen, wie er versucht, sich vorzustellen, wie es mir auf der Hallig ergangen ist. Sein Gesicht verrät, dass er dem Frieden nicht traut. Ob Bellinger sich daran erinnert, wie er die Seeluft gepriesen hat? Ich zwinkere erneut. Die Hallig, sage ich, ist wirklich hinreißend. Aus dem Schlafzimmer gibt es einen großartigen Blick auf den Leuchtturm. Man sieht die Kirche auf der Warft nebenan. Und wer weiß, womöglich entscheidet dieser Tag alles. Na, sage ich mit tieferer Stimme, sechs Stimmen mehr, sechs Stimmen mehr haben wir mindestens. In diesem Moment wird mir klar, dass ich, selbst wenn Hansen zählt, seit meiner Abfahrt zur Hallig mit weniger als sechs Menschen gesprochen habe. Bellinger sieht mich an und grinst. Es folgt ein gemeinsames, vorsichtiges Lachen. Bellinger wirft noch einen prüfenden Blick in den Fonds, dann wendet er sich ab und sieht wieder nach vorn.

Wir fahren durch den fruchtbaren Küstenstreifen. Wiesen, Kühe, deren riesige Mäuler im Gras arbeiten. Ich werde müde. Überall, denke ich schläfrig so dahin, diese Tiere. Die Straße ist gut ausgebaut und völlig leer. Bellinger und der Fahrer verständigen sich von Zeit zu Zeit über Strecke und Ankunftszeit. Sonst ist es still. Die Sonne versinkt über einem aufgeräumten Land. Die Felder stehen prachtvoll, die Höfe machen einen wohlhabenden Eindruck. Die Orte sind in einem guten Zustand. Auf den Bürgersteigen gibt es rote Streifen für Fahrradfahrer. Als ich das blaue Autobahnschild sehe, weiß ich, es ist geschafft. Der Wagen beschleunigt nahezu lautlos. Ich greife nach den Zeitungen. Ich lege die Hand auf meinen Koffer, ich spüre das Schloss. Der Priel. Ich lächle. Ob Kathrin Knudson im Haus angekommen ist? Wie in einem Film zieht draußen die Landschaft vorüber.

Wir gleiten durch sie hindurch.

Meinsteiner

Meinsteiner ist eingeschlafen. Wobei man sich bei Meinsteiner nicht sicher sein kann. Vielleicht ist Meinsteiner auch tot. Oder Meinsteiner wacht und lauscht mit geschlossenen Augen. Seit drei Jahren habe ich meinen Platz am Gang, Meinsteiner sitzt auf der anderen Seite. Bis ich Meinsteiner traf, habe ich gedacht, so langsam gucken nur die Krokodile. Jede Minute sieben bis fünfzehn Aufschläge, das ist normal. Bei Meinsteiner erst einmal null. Irgendwann fährt Meinsteiners Lid wie eine Jalousie herunter. Ich bin der Auffassung, dass Meinsteiner seine Augen einzeln verschließen und je nach Bedarf auch einzeln wieder öffnen kann. Ich kenne diesen Moment genau; wenn sich Meinsteiners Augenlid langsam nach unten schiebt, eine zeitlupenartige Bewegung, das Lid zieht so langsam und gründlich über die Netzhaut dahin, als käme es weniger darauf an, das Auge zu schließen, als darauf, alle Flüssigkeit auszuscheiden, die in Meinsteiners Auge vorhanden ist.

Was das Management seiner Sitzungsteilnahme betrifft, ist Meinsteiner ein Meister. Ehrlich gesagt ist Meinsteiner ein richtiger Sitzungslöwe. Meinsteiner war sogar in Brüssel. Wie erlernt einer aus der norddeutschen Tiefebene die Meditation?

Wenn sich Meinsteiner von seinem Platz erhebt, macht er oft eine Bemerkung mit heiterem Anklang. Dass ein Mensch langsam spricht, bedeutet ja nicht, dass er langsam denkt. Wir schreiben wieder Geschichte mit der Straßenverkehrsordnung, so in etwa. Meinsteiner hat seine eigene Art zu zeigen, dass er nicht zufrieden ist. Neulich meinte er, unsere Antwort auf die Erfindung des Mikrochips war die Anschnallpflicht für Erwachsene auf dem Rücksitz. Wenn Meinsteiner sich erhebt, geht es darum, wie er sagt, Kriegsrat zu halten. Meinsteiner spaziert davon und trinkt mit Kollegen Kaffee. Es finden sich immer Kollegen, die bereit sind, mit Meinsteiner Kaffee zu trinken. Der Kriegsrat ist wichtig. Politik wird heute weniger im Plenarsaal als in der Cafeteria gemacht. Für Meinsteiner kann es gar nicht genug Kaffee sein. Wenn Meinsteiner die Kaffeetasse ergreift, spreizt er den kleinen Finger nach außen ab. Den kleinen Finger so weit nach außen abzuspreizen wie Meinsteiner es tut, ist mir körperlich unmöglich. Meinsteiner trinkt seinen Kaffee mit System. Ich bin mir sicher, in Meinsteiners Körper fließt Kaffee wie Blut. Ich stelle mir vor, dass Meinsteiner den Kaffee auf eine von ihm genau durchdachte Art auf eigens dafür geschaffenen, aderähnlichen Bahnen durch seinen Körper hindurchspült. Ich glaube, Meinsteiner weiß stets, wo in seinem Körper sich der vorhin und wo sich der soeben getrunkene Kaffee befindet. Meinsteiner weiß auch, wann es Zeit ist, Kaffee in seinen Körper nachzufüllen. Es kann sein, dass Meinsteiner die Augenschließübungen bereits beim Kaffeetrinken beginnt.

Ich sehe über den Gang. Dieses Mal schläft Meinsteiner wirklich. Seine Hände ruhen auf dem Bauch. Obwohl Meinsteiner in seinem Stuhl zusammengesunken ist, wölbt sich der Bauch nach oben. Meinsteiner treibt Sport, er bemüht sich redlich, aber es hilft nichts mehr. Meinsteiner rennt und rennt, in den Sitzungen reift das Fett. Meinsteiner sagt, bei seinem Bauch handele es sich keinesfalls um einen ordinären Bauch, sondern um eine bundesdeutsche Sitzungswampe. Meinsteiner sagt, erst gut abgehangenes Sitzungsfleisch und Hämorriden geben dem Politiker die richtige Würze. Manchmal sind mir Meinsteiners Bemerkungen zuwider. Ich würde gern mit einem spitzen Finger in Meinsteiners Bauch stechen. Ich überlege, ob Meinsteiners Bauch hart ist oder weich. Die Überlegung ist mir nicht angenehm. Ich frage mich, wie ich auf solche Gedanken komme. Eigentlich will ich gar nicht wissen, in welchem Zustand sich Meinsteiners Bauch befindet.

Ich bin davon überzeugt, dass Meinsteiner es bemerkt, wenn ich ihn beobachte. Auch dann, wenn er schläft. Als ich wieder hinüberblicke, wacht Meinsteiner auf. Er streckt Arme und Beine, er fasst sich an den Rücken und erhebt sich umständlich. Meinsteiner reibt sich die Augen und wirft mir über die Seite einen kurzen Blick zu. Kein Gruß. Meinsteiner erhebt sich mühsam. Ich überlege wie jedes Mal, wenn Meinsteiner sich schlaftrunken erhebt, ob ich aufspringen und ihn stützen soll. Das ist überflüssig. Meinsteiner findet seinen Weg auch im Schlaf.

Meinsteiner betritt den Gang, er schwankt kurz, orientiert sich und geht durch die fast leeren Sitzreihen davon. Meinsteiners Schritt ist wieder fest. Lautlos strebt er seinem Ziel entgegen. Kriegsrat, denke ich, und sehe hinterher.

In Rödels Kopf
ist die Badelandschaft
schon fertig

Nordseewellen, Südseewellen und Ostseewellen, ruft Rödel.
Nordseewellen, Südseewellen und Ostseewellen, die haben wir
gewollt, Nordseewellen, Südseewellen und Ostseewellen, die
werden wir auch kriegen! Ein Loch graben und voll Wasser
pumpen, das kann doch jeder! Jeder Köter da draußen, jeder
lausige Straßenköter, der hebt sein Bein und pisst sich seine
Pfütze! Wir wollen keine Pfütze! Wir wollen eine Badeland-
schaft! Eine Badelandschaft, die dieser Bezeichnung würdig
ist! Eine Landschaft aus Bädern und Brunnen, mit Wiesen und
Vasen und herrlichen Liegen dazu! Wir wollen einen Ort, der
Vergnügen schenkt! Einen Ort, der geradezu gemacht ist aus
Vergnüglichem! Einen Ort in der Mitte der Stadt, an dem der
Mensch Mensch sein darf! Und das Kind Kind! Berlin, ruft
Rödel, das bedeutet Entfaltung! Hip, hip, Entfaltung!

Hip, hip, Berlin!

In dieser Stadt, Rödel steht auf und breitet seine Arme aus,
als wollte er die Anwesenden segnen, ermöglichen wir jeder
Bürgerin und jedem Bürger das eigene Badelandschaftsglück!
In Berlin, ruft Rödel, ist jeder seines Badelandschaftsglückes
Schmied! So wie er kann! So oft er will! Und koste es, was es

wolle! Deshalb, liebe Kollegen, Rödel spricht jetzt mit Inbrunst, brauchen wir nicht einfach Wasser. Deshalb brauchen wir nicht einfach irgendein Wasser, das schwappt in irgendeinem Loch. Wir brauchen Wellen! Wir brauchen eine Welle für jeden! Wir brauchen Nordseewellen, Südseewellen und Ostseewellen!

Rödel hat sich verausgabt. Er hält inne und senkt die Arme mit einer unbeholfenen Bewegung, wie jemand, der aufwacht und sich in einer ihm fremden Körperhaltung findet. Rödel sieht sich um. Sein Blick wandert von Aufsichtsrat zu Aufsichtsrat. Rödel sieht jedem ins Gesicht. Dann konzentriert er sich auf Straußer.

Schließen Sie Ihre Augen, und sprechen Sie mir nach.

Straußer, der Rödels Ausbruch mit offenem Mund beobachtet hat, glotzt ihn verständnislos an. Rödel geht um den Tisch herum, stellt sich vor Straußer und legt die Arme an den Körper. Rödel hält seine eigenen Augen geschlossen, als wollte er vormachen, wie das geht, was er von Straußer will.

Rödel steht still.

Rödel öffnet seine Augen wieder und sieht Straußer unvermittelt scharf ins Gesicht.

Sagen Sie mal, wollen Sie mir etwa einen Bären aufbinden? Glauben Sie, ich bin blöde? Die sind doch gar nicht zu! Ihre Augen! Die sind doch offen!

Dass Straußers Augen geöffnet sind, ist unbestreitbar. Straußer starrt Rödel immer noch an. Rödel schüttelt den Kopf.

Kommen Sie, sagt Rödel plötzlich mit lockender Stimme, tun Sie mir den Gefallen. Bitte. Diesen einen Gefallen. Tun Sie ihn mir. Sie werden es nicht bereuen!

Versprochen!

Jetzt kommen Sie schon.

Straußer weiß nicht weiter. Strußer zögert, schließlich sieht er sich entschuldigend am Tisch um und schließt die Augen. Rödel wartet, dann klatscht er begeistert in die Hände. Das Klatschen ist laut. Strußer zuckt erschrocken, hält die Lider aber gesenkt.

Viel besser, ruft Rödel, viel besser! Ja, jetzt. Geht doch! Bleiben Sie so. Die Augen geschlossen halten! Nicht bewegen! Nicht bewegen!

Jetzt, sagt Rödel sanft, sprechen Sie mir nach.

Badelandschaft.

Rödel streckt die Arme in Richtung Boden, obwohl Strußer ihn nicht sehen kann. Während Rödel sich streckt, dehnt er auch das A, es ist nun beinahe so lang wie der Rest des Wortes.

Badelandschaft.

Rödel beobachtet Strußer und wartet erneut.

Badelandschaft.

Strußers Schultern sacken ein Stück herab. In dem Raum ist es ganz still.

Badelandschaft, wiederholt Rödel, nun ganz leise, ein letztes Mal.

Das muss summen, das muss klingen.

Spüren Sie, fragt Rödel flüsternd, wie es summt und klingt? Hören Sie die Wellen? Rödel verstummt. Rödel steht vor Strußer, der seine Augen immer noch geschlossen hat. Auch Rödel schließt seine Augen. Rödel hält die Hände an seine Ohren und lauscht.

Blutbuchenblättergrün

Politik ist ein wunderbares, weites Feld, doch in diesen Jahren heißt Politik Eurokrise. Mit der Zeit habe ich gelernt, die Botschaft zu lesen; ihr habt ein System gebaut, dass ihr nicht beherrscht. Genau genommen, baut sich das System seit einiger Zeit selbst. Ich denke, ein Teil des Problems ist, dass wir uns verabreden wollen, als ginge es darum, den Dorfacker umzugraben. Tatsächlich geht es darum, eine Welt in den Griff zu bekommen, die so kompliziert ist, dass ein Ameisenhaufen vor ihr so einfach aussieht wie ein gerader Strich. Wir sind uns nicht einig über das Ziel, alle haben Interessen. Alle machen mit.

Wir tragen Verantwortung, was sollen wir tun? Politik kennt kein stilles Kämmerlein. Es ist verrückt, aber selbst für die größten Probleme entwickelt keiner strategische Alternativen. Wenn Familienväter und Firmenbesitzer leise Pläne nebeneinander halten und vergleichen, redet sich die Politik an eine Lösung heran. Sie redet zu allen Zeiten und an allen Orten. Und sie redet im Bundestag. Die Debatte läuft schon seit Stunden. Während ich mich langweile, macht Meinsteiner einen konzentrierten Eindruck. Er sitzt auf der anderen Seite des Ganges und schreibt etwas auf einen Zettel. Meinsteiner beugt sich tief über das Papier.

Kritzelt und kritzelt,
setzt ab.
Kritzelt und kritzelt,
betrachtet das Geschriebene.
Kritzelt, legt die Hand an sein Kinn.
Bedenkt.
Nickt, nimmt den Stift und zieht mit Schwung einen Strich.

Jetzt führt Meinsteiner den Stift einige Male von oben nach unten. Kann es sein, dass er rechnet? Meinsteiner blickt zu mir herüber und zieht den Zettel dichter zu sich heran. Es wäre das erste Mal, dass sich Meinsteiner in meiner Gegenwart mit Zahlen beschäftigt. Bisher hatte ich den Eindruck, Meinsteiner langweile sich, wenn es um Zahlen geht. Meinsteiner ist einer von denen, die meinen, ich kümmere mich um die Sache, rechnen sollen andere. Wenn Meinsteiner über die redet, die rechnen, guckt Meinsteiner so, als ob er der Auffassung wäre, die, die rechnen, sind nicht wirklich erste Klasse. Man braucht sie, aber selbst fällt ihnen nichts ein. Zahlen, die jeder kennen muss, wiederholt Meinsteiner leise und vorsichtig. Meinsteiner sieht einem dabei genau ins Gesicht, als wollte er herausfinden, ob das Gesagte richtig ist.

Ich glaube nicht, dass Meinsteiner rechnen kann. Was aber tut er da? Meinsteiner blickt hoch, dann schreibt er weiter.

Alle hassen die Eurokrise, ich finde sie wunderbar. Wunderbar, weil ich es endlich geschafft habe, meinen alten Schulatlas wieder hervorzuholen. Ich meine, bisher war Europa für uns doch eine Pauschalreise. Rein in die Maschine, am anderen Flughafen wartet der Bus. Deutsch sprechen die alle. Das

Ganze funktionierte mehr oder weniger von selbst. Ehrlich gesagt, erinnere ich mich von manchem Urlaub an das Hotel besser als an das Land. Und wer ist schon in Straßburg gewesen oder in Brüssel? Wer weiß, wie Europa funktioniert?

Als Kind bin ich am Abend im Bett mit den Augen in meinem Schulatlas gereist. So wuchs meine Sehnsucht nach der Welt. An jeder Grenze blieb mein Finger stehen. Welche Botschaft steckte wohl in der Farbe des Landes, das hinter dem schwarzen Strich begann? Wie mochten die Menschen sein, die dort lebten? Ich las mir fremde Namen vor und erdachte mir eine Sprache. Ich entdeckte Landschaften und malte mir Hügel und Täler. Manchmal fand ich einen Ort, dessen Name mir sofort verriet, dass hier Abenteuer und Begegnungen auf mich warteten. Um solche Orte zog ich einen Kreis, der über die Jahre mit der Kartenbeschriftung verwuchs und den ich später ebenso gut zu benennen wusste wie Flüsse und Berge. Oft habe ich recht behalten. Unser blauer Planet ist ein Wunder, das mich früh ergriffen hat. Als die Eurokrise begann, habe ich an meinen Schulatlas gedacht. Ich wollte mir ansehen, wie groß die Länder sind, ich wollte sehen, von wem wir reden und wie wir zueinander stehen. Zuerst meinte ich, der Atlas sei verloren gegangen, doch dann habe ich ihn in einem Schrank gefunden. Offenbar hatte ich das schwere Buch bei jedem Umzug mitgeschleppt. Der Name meines Atlanten ist in goldenen, mit einem doppelten Strich ausgeführten Lettern geprägt. Beim Umschlagen der Seiten begegnet mir eine vergangene Welt.

Da liegen zwei getrocknete Blätter.
Rotbuche, sagte mein Großvater,
und Blutbuche, beschreibe mir den Unterschied.

Weiter hinten im Atlas folgen die durchgepausten deutschen Mittelgebirge und ein Erdkundetest. Die Blutbuche wird auch Purpurbuche genannt. Sie war Großvaters Lieblingsbaum an jenem Hang, auf den er von seinem Schreibtisch blickte. Die zuerst roten Blätter der Blutbuche sind später fast grün. Aus manchem großen Land sind über die Jahre viele kleinere geworden. Aus zwei deutschen Staaten wurde einer. Am liebsten würde ich meinen Atlas in den Plenarsaal mitnehmen, aber das traue ich mich nicht. Vielleicht macht jemand ein Photo. Der Abgeordnete, der in seinem Schulatlas nachschlägt, wo Europa liegt. Ich will nicht hinterwäldlerisch klingen, aber wenn ich ehrlich bin, hat es mich total überrascht, wer inzwischen alles dazugehört. Einige Namen sind mir fremd. Ich war noch nie in Rumänien. Ich war noch nie in der Slowakei und noch nie in Estland. Sogar die Azoren und Madeira, Martinique und Réunion gehören zu Europa. Die Azoren und Madeira liegen im Nordatlantik, Martinique liegt in der Karibik und Réunion im Indischen Ozean. Kürzlich hat mir ein Kollege von einem europäischen Programm zum Ausbau der Häfen in den Überseegebieten berichtet. Immer, wenn ich so etwas höre, denke ich, in Europa macht jeder mit fremdem Geld sein eigenes Ding.

Immer, wenn in diesen Tagen ein europäisches Land aufgerufen wird, tut man gut daran, wach zu sein. Heute hat mich jemand gefragt, wie gut ich Zypern kenne.

Zypern? Ich habe einfach genickt.

So viele Rohre,
aber wo bleibt
das Wasser?

Straußer sitzt am unteren Ende des Tisches. Straußer schwitzt. Zuerst, sagt er vorsichtig, aber bestimmt, kam kein Wasser. Wir wollten das Becken probehalber füllen und die Brandung testen. Wir haben das Hauptventil geöffnet. Ziemlich schwer zu drehen. So ein Gerät.

Straußer richtet sich auf, er versucht, ein eindrucksvolles Gesicht zu machen und etwas zu zeigen, das schwer ist.

Aber es kam nichts. Kein Wasser, kein Gurgeln. Überhaupt kein Geräusch. Nichts. Keine Reaktion. Als ob die Rohre gar nicht dafür gemacht wären, dass darin Wasser fließt. Ventil wieder zu und nochmals auf. Wieder nichts. Man rechnet mit vielem, aber damit? Wir standen ratlos im Keller.

Sie müssen sich das so vorstellen, sagt Straußer, der Keller liegt voller Rohre. Da liegen so viele Rohre herum, dass man denken könnte, dass ist ein Rohrlager. Straußer schüttelt traurig den Kopf. Aber es ist kein Lager. Die Rohre werden gebraucht. Es gibt die Frischwasserzufuhr für das Schwimmbad, die Beduftung für die Nordseewellen, die Beduftung für die Ostseewellen, die Beduftung für die Südseewellen, es gibt riesige Wellenwerferbeschleunigungsrohre, die sind für die Brandung, dann den Klärkreislauf, die Chloreinspeisung, Frischwasserrohre und Gebrauchtwasserrohre für zwölf Toiletten, Frischwasserrohre heiß und kalt, dann Gebrauchtwasserrohre für zwanzig Duschen und natürlich Frischwasserrohre heiß und kalt und Gebrauchtwasserrohre für die Waschbecken.

Straußer ist mit der Aufzählung der Rohrarten in Fahrt gekommen, jetzt macht er eine Pause.

Außerdem, sagt Straußer dann behutsam, gibt es Rohre, bei denen wir uns nicht erklären können, wieso sie überhaupt da sind.

Das hat uns am meisten umgeworfen, während wir da standen, dass es in dem Keller Rohre gibt, von denen niemand sagen kann, wer sie dort eingebaut hat und wozu.

Im Keller, sagt Straußer plötzlich mit lauter Stimme, liegen Rohre, deren Zweck unbekannt ist.

Die Botschaft musste heraus. Straußers nordische Natur gibt ihm Gelassenheit, aber das mit den Rohren schlägt dem Fass den Boden aus. Straußer blickt sich entrüstet um, er guckt, als ob einer der Anwesenden die unbekannten Rohre mit eigener Hand verlegt hätte. Straußer blickt erwartungsvoll zu Rödel. Der macht einen unentschlossenen Eindruck. Rödel weicht Straußers Blick aus. Ich glaube, Rödel hat es nicht so mit Rohren. Vermutlich überlegt er, ob es für ihn wichtig ist zu wissen, was sich im Keller befindet. Ich sehe Straußer an und denke an die Unterlagen mit dem kritischen Pfad.

Vielleicht ist es das Urinal, meint Ostrowski in die aufkommende Stille.

So wie Ostrowski Urinal sagt, klingt es sehr nach Urin.

In der Badelandschaft gibt es kein Urinal, erwidern Straußer und Rödel wie aus einem Mund.

Im Norden
träumen wir vom Süden –
und Zypern?

Soweit ich mich erinnere, ist Zypern eine zwischen Griechenland und der Türkei geteilte Insel. Ich bin mir ziemlich sicher, dass ich noch nie auf Zypern Urlaub gemacht habe. Als Zypern zur Sprache kommt, stehen mir sofort die goldenen Lettern meines Atlanten vor Augen. Am Abend sitze ich in meinem Apartment, der Schulatlas und ein Reiseführer liegen vor mir.

Ich öffne das dicke Buch. Immer noch fange ich an zu träumen, wenn ich auf eine Landkarte blicke. Immer noch möchte ich im Süden Europas leben. Ich schließe die Augen. Sofort ist alles da; die Aussicht von der Festung über die sanft geschwungenen Hügel der Toskana, der süße Geruch von Nadelbäumen in der Mittagshitze, Zikaden, hinter Pinien und Zypressen das Leben der Stadt. Schon bei meinem ersten Besuch, den ersten Schritten, bei dem allerersten Blick, nachdem wir den Parkplatz verlassen und das alte Tor durchquert hatten, habe ich mich in Siena zu Hause gefühlt. Obwohl es eher ein Zufall gewesen war, der mich hierhergebracht hatte, die Laune einer eingerissenen und an Faltstellen unleserlichen Landkarte, meinte ich, dass mir diese Nachmittagsstunde, der Weg, dem ich nun folgte, vorbestimmt sei. Die Straße endet auf der Piazza del Campo. Ich blickte auf das Rathaus, den Glockenturm mit seiner schwerelos weißen Spitze und Restaurants, deren bunte Markisen und Schirme in der Sonne leuchteten. Ich hielt an einem Brunnen. Ein geschlossenes Ensemble aus Gotik und Renaissance bildete das Halbrund des Platzes. Im Brunnen sprang eine Fontäne. Auf dem blauen Beckengrund schimmerten silbern und bronzen Münzen.

Ich blieb eine Weile, dann lief ich durch die Gassen und besuchte eine der vielen Kirchen. Hinter dem schweren Tuch am Eingang war es still. Ich dachte, Lebensgewissheit braucht Gott. Der Glaube gehörte hier seit jeher dazu. Sogar die Luft des Kirchenraumes war mit Jahrhunderten gefüllt. Vor der Marienstatue flackerten Kerzen.

Auf den Platz zurückgekehrt, setzte ich mich auf den geziegelten, warmen Boden. Es wurde dunkel. Aus den Restaurants klangen Gespräche herüber, sie zogen in der milden Luft wie unsichtbare Wolken auf der Piazza umher. Nach einigen Stunden leerten sich die Tische. Ich blieb einfach da. In dieser Nacht habe ich vor dem Rathaus geschlafen. Die Steine hielten die Wärme, bis der nächste Morgen begann. Durch die Gassen waren Rufe von Vögeln zu hören, die mit dem ersten Licht auf dem Land erwachten.

In Städten, deren Mauersteine Geschichten erzählen, in deren Winkeln der Staub vergangener Zeiten liegt, halte ich an. In der Vielfalt in den Straßen und Gassen fühle ich, dass wir reich sind. Ich kenne keinen Landstrich, den die Schöpfung so großzügig und klug beschenkt hat wie den Süden Europas. Da gibt es fruchtbare Böden, ein auskömmliches Klima, Sonne und Meer. Der Reichtum der Natur hat die Menschen

erfinderisch und wohlhabend gemacht. Ihre Dörfer und Städte
sind über die Zeit in einer glücklichen Symbiose mit der Landschaft verschmolzen.

Ich blättere in dem Atlas. Ich finde eine Karte.

Zypern aus der Luft.
Ein archaisches Reptil,
kurzbeinig,
mit spitz erhobener Nase und einem langen Schwanz in azurblauem Wasser.

Ein Gebirgsrücken nördlich von Nikosia bildet das Rückgrat,
eine Höhe in der Region Paphos das Auge. Die Zeichnung
zeigt Berge und Land in Farben zwischen Braun und Grün.
Östlich von Paphos soll Aphrodite dem Mittelmeer entstie-
gen sein. Wer den Aphrodite-Felsen umschwimmt, wird von
ihr mit ewiger Liebe belohnt. Auf Zypern gibt es Felder silb-
rig glänzender Olivenbäume, Wein, Orangen- und Grapefruit-
haine. Auf Zypern werden Feigen und Bananen geerntet. Und
natürlich Gemüse. Im Reiseführer steht, fast jede Familie besitzt ein Stück Land, um Gurken, Zwiebeln und Tomaten an-
zubauen.
Ich denke an das helle, einzigartige Licht des Mittelmeers, das
so vielen Kulturen Atem und einen weiten Blick gegeben hat.
Auch auf Zypern haben sie sich miteinander verwoben.

Ich blättere weiter durch die farbigen Seiten und ziehe mit dem
Finger Routen nach, die das Buch empfiehlt. Ehrlich gesagt,
ist mir nie klar geworden, warum der Norden Europas heute
wohlhabend ist und der Süden nicht. Zypern besitzt sogar Bo-

denschätze, Marmor, Kupfer und Gas. Man fährt links. Seit 1974 hält die Türkei den Norden besetzt. Die Grenze verläuft von Ost nach West durch den oberen Teil der Insel. Der Süden ist seit 2004 Teil der Europäischen Union, die, so schreibt es der Reiseführer, ganz Zypern als europäisches Gebiet ansieht. Ich erinnere mich daran, dass die Gemeinschaft sich nur in Gebiete ausdehnen wollte, in denen es keine militärischen Probleme gibt. Wahrscheinlich fördern wir auch den Teil der Insel, vor dem die Europäische Union sich bis heute mit Hilfe von Truppen der Vereinten Nationen schützt. Ich lege die beiden Bücher zur Seite. Fast Mitternacht. Man kann vieles über Abgeordnete sagen, aber nicht, dass sie faul sind. Ich ordne die Dinge für den nächsten Tag. Ich sehe die Spätnachrichten. Über Zypern kein Wort.

Ein Generalplan?
Wasser muss her

Natürlich haben wir nicht aufgegeben, sagt Straußer. Wir haben uns aufgeteilt und sind den Rohren gefolgt. Das war schwer. Die Rohre kommen irgendwo her, die gehen irgendwo hin. Sie laufen durch den Keller, sie verbergen sich in Ummantelungen und hinter dem Gewirr der Leitungen, sie verstecken sich in der Dunkelheit, sie kreuzen sich in den Ecken und vermehren sich ohne Sinn und Verstand. Die Leitungen kommen aus der einen Wand und verschwinden in der anderen.

Was sollten wir tun?

Du klopfst und rüttelst, du fühlst den Rohren die Temperatur. Heiß oder kalt, gebraucht oder frisch?

Schließlich bohrst du die Dinger auf und guckst hinein.

Dann leckst du an dem schwarzen Loch.

Das ist, sagt Straußer, erniedrigend, lauter Ingenieure, die in kleinen Gruppen in einem dunklen Keller umhergehen und an Rohren rütteln und lecken. Die empfehlen Rohre wie andere Leute Wein.

Da war, sagt Straußer, und sein Gesicht verzieht sich voller Abscheu, so ein ekelhafter metallischer oder kunststoffartiger Geschmack.

Sonst war da nichts.

Straußer sieht hinter sich.

Die Rohre, sagt er mit vibrierender Stimme, die Rohre sind ein Mysterium.

Straußer senkt den Kopf. Seine Gedanken scheinen sich in dem Mysterium, in dem Keller, in den vielen bekannten und in den vielen unbekannten Rohren verfangen zu haben. Straußer sitzt da, als wäre er geschrumpft. Wieder ist es still. Der Sitzung fehlt in diesem Moment ein wenig die Perspektive. Huse betrachtet seine Hände und beginnt, mit dem Daumen sorgfältig das Weiß der Nägel auszukratzen. Wenn er mit einem Finger fertig ist, klopft er ihn an der Tischkante ab. Frau Meier-Feinspitz schreibt. Ostrowski blickt aus dem Fenster.

Was war denn nun eigentlich mit dem Wasser für den Probelauf, fragt Rödel werbend.
Straußer gibt sich einen Ruck. Wir haben, sagt er, es eine Weile mit den Ventilen probiert. Dann haben wir die Techniker gerufen. Die Installationsfirma, die Zulieferfirmen der Installationsfirma. Andere Unternehmen, die in dem Keller gearbeitet oder in der Nähe etwas installiert haben.
Jeden, der gerade da gewesen ist.
Wir haben einen Plan gesucht, eine Art Generalplan für Rohre.
Einen Plan, sagt Straußer feierlich, der alle Rohre zu einem großen Werk zusammenfügt.
Straußer macht erneut eine Pause.
Und, fragt Huse.
Es scheint, als gäbe es gar keinen Generalplan, sagt Straußer zögernd. Jeder, der da unten etwas verlegt, hat offenbar seinen eigenen Plan. Es war fürchterlich. Zwei Dutzend Leute mit beinahe so vielen Plänen. Zeigefinger, die über Papiere, Ta-

schenlampen, die über uns und unter uns und neben uns über Rohre huschten.

Es war, sagt Straußer mit seinem nordischen Zungenschlag andächtig, wie ein Stück im modernen Theater. Alle laufen auf der Bühne herum und machen irgendwas.

Man kann es nicht verstehen.

Wir starren Straußer an. Das moderne Theater hat uns in seinen Bann geschlagen. Aber Straußer ist noch nicht fertig.

Es besteht inzwischen die Befürchtung, sagt Straußer vorsichtig, dass es für das Schwimmbad vielleicht gar keine richtige Wasserversorgung gibt.

Neben mir schnappt Rödel nach Luft. Durch seinen Körper geht ein Ruck. Rödel bewegt sich hin und her. Es sieht so aus, als wollte er den Augenblick abschütteln. Was nicht funktioniert. Rödel blickt sich hilfesuchend um. Hat er richtig gehört? Kein Wasser für das Schwimmbad? Huse, Ostrowski, Frau Meier-Feinspitz und ich blicken auf Straußer. Straußer blickt erst auf Rödel, dann wandert sein Blick ohne erkennbare Gefühlsregung im Raum herum.

Beinahe so, denke ich, als gehe ihn die Sache mit dem Wasser nichts an.

Straußer, schießt es mir durch den Kopf, sitzt da und vermittelt einen zufriedenen Eindruck. Straußer sieht so aus, als ob er meinte, sein Job sei mit dem Eingeständnis der Probleme gemacht.

Rödel beginnt, in den Unterlagen zu blättern. Rödel blättert und kann nicht finden, was er sucht.

Rödel flucht leise.

Was hatten wir denn verabredet? Die Wasserversorgung, gibt es hier nicht irgendetwas über die Wasserversorgung?

Rödel blättert immer hektischer und reißt aus Versehen einige Seiten aus der Akte heraus.

Ich habe mal ein Hotel gebaut, meint Huse, da waren plötzlich drei Tage lang alle Aufzüge kaputt. Alle Aufzüge auf einmal!

Mitten im Sommer, auf Teneriffa. In der Hitze!

Sogar am Reisetag!

Der Reisetag, sagt Huse, das müsst ihr wissen, der Reisetag ist das A und O.

Neun Stockwerke zu Fuß, Alte, die auf den Treppen verrecken, Babys, die brüllen, die Koffer halb ausgepackt in den Gängen. In der Auffahrt stauen sich die Busse.

Und die Rezeption, sagt Huse feierlich, die Rezeption befand sich im Krieg. Die befand sich in einem Belagerungszustand. Wer oben war, kam nicht mehr herunter, wer unten war, ging nicht mehr hinauf.

Das könnt ihr euch gar nicht vorstellen, sagt Huse, wie das gewesen ist.

Die Kinder, sagt Huse, haben sogar vom Sprungbrett in den Pool gepinkelt. In den Pool gepinkelt! Vom Fünfer in hohem Bogen hinunter!

Straußer sieht Huse regungslos an. Rödel blättert immer noch.

In unseren Bestandsbädern, also in den anderen Bädern, sagt Ostrowski, haben wir überall ein Urinal.

Urinal ist Urinal, das Leben ist das Leben, aber so wie Ostrowski Urinal sagt, ist es ekelhaft.

Ich will auf die Toilette.

Obwohl nur Minuten vergangen sind, macht Rödels Akte einen zerstörten Eindruck.

Vielleicht sollten wir diesen Keller besichtigen, meint Frau Meier-Feinspitz mit ihrer eher unscheinbaren, aber genauen Stimme.

Meine Frage kommt einfach so. Warum pinkeln Kinder in den Pool, weil der Aufzug kaputt ist?

Huse grinst.

Die Wahrheit
und das Insekt

Freitagmittag, die Abstimmungen haben wir hinter uns. Der Kollege am Mikrophon blickt auf verlassene Stuhlreihen. Der leere Plenarsaal leuchtet blau-violett. Einen Moment sieht es aus, als wollte der Redner verschwinden, er zieht die Schulterblätter nach vorn und beugt sich hinter dem Pult über sein Manuskript. Dann rafft er sich auf. Die Lautsprecheranlage verstärkt einen freundlichen süddeutschen Dialekt. Ich stelle mir die Landschaft vor, in der man so spricht.

Die Stunde am Ende der Parlamentswoche gibt mir Zeit zum Nachdenken. Früher hatte ich große Ziele. Damals, als wir die Wiedervereinigung gefeiert haben; auf dem Mauerstreifen am Leipziger Platz, in Häusern aus vergangenen Zeiten, die in unsere Gegenwart hineinragten. In den Waschräumen der Grenzsoldaten, leeren Fabriken, Kellern, auf Dachböden und den Höfen.
Viele von uns waren gerade erst in Berlin angekommen. In einer Zeit, die in keinem Kopf vorweggenommen worden war, in keiner Schublade lag ein fertiger Plan. Die Freiheit schien groß zu sein, die Zukunft offen. Die Stadt erfand sich an jedem Tag ein Stück neu. Sie wandelte ihr Gesicht, während Bäckereien buken, Kinder zur Schule gingen und

Schornsteine rauchten. Der offene Blick dieser Jahre versprach eine gute Zukunft. Das Aufflammen neuer Chancen gab uns Kraft.

In der ersten Zeit nahmen wir die alten Visitenkarten,
wir strichen Funktionen und Herkunft durch
und hefteten unsere Namen an die Tür.

Ich habe niemanden in der DDR gekannt. Aber ich habe gefühlt, dass es richtig ist, dass Deutschlands beide Hälften wieder zusammenfinden. Niemand teilt eine Stadt für immer. Niemand teilt für immer ein Land. Mit der Wiedervereinigung hatte Deutschland ein weiteres Kapitel seiner Geschichte aufgeschlagen. Wie würden seine ersten Zeilen lauten?
Ich wollte das Beste aus zwei Welten, von denen die eine schon fast vergangen war. Ich habe damals gedacht, du musst bei der Wahrheit bleiben. Ich habe gedacht, du musst kämpfen. Wahrheit und Richtigkeit waren meine liebsten Worte. Der Gedanke, etwas Richtiges zu tun und bei der Wahrheit zu bleiben, tat mir gut. Die Werte, an die ich glaubte, haben mir Geborgenheit gegeben. Am Anfang kannte meine Sehnsucht nach Wahrheit und Richtigkeit kein Maß.

Schon bald wurde die Mitte Berlins wieder zum Taktgeber der Stadt. Der Duft von Linden und Robinien zog über den Todesstreifen bis zur Wilhelmstraße. Die Soldaten zogen ab. Auf dem schmalen Stück Land, das die beiden deutschen Staaten mit Schießbefehl, Hunden und Tretminen getrennt hatte, wuchs Gras. Noch waren die alten Straßenverbindungen nicht wieder hergestellt.
Mein erster Sommer zwischen zwei Welten; still.

Der Tiergarten auf der einen, Häuser auf der anderen Seite. Da vorn das Brandenburger Tor. Bunte Decken, am Abend auf dem Boden ausgebreitet. Wir haben Wein getrunken, doch wir waren auch ohne Wein berauscht.

Natürlich ist mir klar gewesen, dass Wahrheit und Richtigkeit leichtfüßige Gesellen sind. Sie verändern und verbergen sich, wir sollen sie suchen. Mir hat das nichts ausgemacht. Meine Werte waren ein Schatz, den ich bei mir trug. Sie sollten mein Kompass sein in einer neuen Zeit.

Mit der Wiedervereinigung hatten wir die Freiheit gewonnen, unser Land in eine neue Zeit zu führen, frei sind wir in einem Goldrausch versunken. Über Jahre leuchteten Baustellen in der Nacht. Überall in der Stadt wurde investiert. Die Einkommen wuchsen. Die Umsätze der Unternehmen wuchsen. Viele westdeutsche Fabriken produzierten am Rand ihrer Kapazität. Der Kaisersaal in der Ruine des Grand Hotels am Potsdamer Platz stand der neuen Straßenarchitektur im Weg, man zog ihn an einen anderen Ort.

Alles war möglich.

Es dauerte nicht lange. Dem Goldrausch folgten Wirtschaftsblasen, den Krisen Streit um die Verteilung des Wohlstands.

Der Plenarsaal füllt sich ein wenig. Ist das da vorn Meinsteiner? Die kleine Gruppe bleibt stehen. Meinsteiner winkt mir zu. Als Meinsteiner zu seinem Platz zurückgekehrt ist, frage ich ihn, was er von Wahrheit und Richtigkeit hält. Gerade noch war Meinsteiner in Plauderstimmung. So gut wie er eben plaudern kann. Jetzt sieht Meinsteiner mich an und verstummt.

Meinsteiner studiert mein Gesicht.

So, wie man ein buntes, ein vollständig harmloses Insekt studiert, das zufällig auf dem Fensterbrett gelandet ist.

Es kann nicht fort.

Ein Moment und ein zweiter dazu. Dann erlischt Meinsteiners Interesse. Meinsteiners Blick streicht gleichgültig über mich hinweg. Er sieht mich mit seinen intelligenten, fast regungslosen Augen an, als wäre nichts geschehen. Meinsteiner verhält sich, als hätte ich nichts gesagt.

Mit Meinsteiners Schweigen falle ich in einen Raum, der keinen Anknüpfungspunkt bietet. Ich weiß nicht, was ich tun soll. Da erwischt er mich. Das Lid fährt herab.

Meinsteiners Lid schiebt voran. Es schiebt sich über die Pupille, schiebt das Augenwasser vor sich her und von der Pupille herunter. Meinsteiner hat mich gefangen, ich kann meinen Blick nicht lösen. Ich starre zu ihm hin.

Ich warte darauf, dass sein Lid das Auge verschließt.

Ich warte darauf, dass Wasser aus Meinsteiners Augenwinkel, aus Meinsteiners Auge, das irgendwo aus Meinsteiners Körper Wasser herausdringt.

Seit drei Jahren warte ich darauf, dass Meinsteiner lacht oder weint.

Wir sehen einander an.

Ist es wahr, dass wir unsere großen Ziele mit den Jahren aufgeben? Ist dies der Preis unserer Lebenserfahrung; dass wir aufhören zu träumen? Glauben wir nicht mehr daran, dass die Welt besser werden kann? Warum melden wir uns nicht zu Wort? Wir reduzieren das Maß. Niemand zwingt uns, aber wir tun es doch. Wir spielen tiki, taka, wir beschränken uns auf den kurzen Pass.

Ich weiß, Meinsteiner hält mich für kindisch, weil ich nach Wahrheit und Richtigkeit frage.

Er putzt sich gemächlich seine Nase. Das weiße Stofftaschentuch wandert hin und her. Dann wird es sorgfältig gefaltet und wieder in Meinsteiners Hosentasche verstaut.

Wahrheit und Richtigkeit, sagt Meinsteiner, schön und gut, aber die sind heute nicht mehr aktuell. Natürlich ist immerzu von Wahrheit und Richtigkeit die Rede. Auf die Wahrheit und auf das Richtige erheben wir Anspruch. Die Wahrheit und das Richtige sind in aller Munde. Aber die Leute sind ja nicht auf den Kopf gefallen.

Was heute richtig und wahr ist, sagt Meinsteiner, ist morgen vielleicht gestrig und falsch. Für Standhaftigkeit ist keine Zeit.

Von einem Politiker, meint Meinsteiner und hebt seinen Blick ein kleines Stück, wird doch geradezu erwartet, dass er morgen etwas anderes sagt als heute!

Wo bliebe sonst die Unterhaltung?

Sagen Sie, sagt Meinsteiner und zeigt vielleicht den Anflug eines Lächelns, sagen Sie doch morgen einfach einmal etwas anderes. Sagen Sie morgen einfach einmal etwas, das niemand von Ihnen erwartet. Das können Sie sich heute Abend bei einem Glas Wein in Ruhe überlegen. Etwas ganz anderes! Probieren Sie es aus. Vor dem Spiegel.

Sagen Sie etwas, dass Ihnen Freude macht! Etwas, mit dem Sie jemand anderem eine Freude machen!

Oder, sagt Meinsteiner, sagen Sie etwas, mit dem Sie Ihre Feinde ärgern.

Meinsteiner blickt in mein ratloses Gesicht.

Mann, sagt Meinsteiner, sagen Sie einfach irgendetwas, das Stimmung in die Bude bringt.

Ich sehe die List in Meinsteiners Augen. Jetzt ist er es, der auf Antwort wartet. Vielleicht auch nicht. An guten Tagen denke ich, dass Meinsteiner mich locken will. Meinsteiner kitzelt mich, kitzelt seine halblaut gesprochenen Worte in mich hinein, kitzelt meinen Standpunkt aus mir heraus. An guten Tagen glaube ich, dass Meinsteiner mich schätzt, wie ich bin. Ihm kommt es darauf an, dass ich sage, was mir wichtig ist. An schlechten Tagen denke ich, dass Meinsteiner solche Sätze ernst meint. Es stimmt ja, man kann über Grundsätze sprechen, aber festhalten darf man an ihnen nicht. Es macht einen schwerfälligen Eindruck, wenn heute einer an Grundsätze erinnert. Wer so daherkommt, ist nicht Teil der Bewegung. Wer an Grundsätze glaubt, ist nicht Teil des Flows. Einer, der aneckt mit seinen Prinzipien, der stehen geblieben ist. Einer mit schlechtem Atem, der feststeckt in dem, was er denkt.

Ich sehe wieder nach vorn. Der Kollege am Pult spricht beinahe zu sich selbst. Politik, das ist ein Geschäft für rüttelfeste Seelen. Es gibt keinen Anstellungsvertrag und keine Vorgesetzten. Niemand sagt Dir, wohin es geht. Wir produzieren nichts von unbestreitbarem Nutzen. Wer hier arbeitet, muss den Mut haben, frei zu sein. Und allein zu sein, das auch.
Ich wende mich von Meinsteiner ab und setze mich wieder auf meinen Platz. Ich schließe die Augen. Als ich aufwache, hat sich der Plenarsaal fast völlig geleert. Meinsteiner ist fort.

Das Gold
reist ab

Gut, dass ich mich über Zypern informiert habe. Die Zyprer sind die Nächsten. Überall wird darüber gesprochen, wie es nun weitergeht. Selbst Meinsteiner hat etwas gesagt. Das hat mich überrascht, Meinsteiner meint, die Nächsten sind nicht die, die uns am nächsten stehen, sondern die, die es als Nächste erwischt. Meinsteiner hat sich nicht darüber gewundert, dass Zypern an der Reihe ist. Er meint, im Moment läuft so einiges schief.

Mich erstaunt, dass es Zypern so schlecht gehen soll. Die Lage ist unübersichtlich. Glücklicherweise existiert die herrliche Natur, von der mein Reiseführer berichtet. Es gibt die fruchtbaren Böden und das auskömmliche Klima. Das Klima ist sogar so auskömmlich, dass zwei Ernten im Jahr keine Seltenheit sind. Zypern liegt auch tatsächlich in einem azurblauen Meer. Allerdings ist da noch etwas. Etwas, das in meinem Reiseführer nicht zur Sprache kommt. Neben Früchten und Gemüse wuchsen und gediehen auf Zypern im letzten Jahrzehnt Banken. Zypern hat inzwischen die höchste Bankendichte der Welt. Was tun die Geldinstitute anstatt in London und Frankfurt auf einer abgelegenen, kleinen Insel, die nicht einmal theoretisch einen größeren Finanzierungsbedarf für ihre Wirtschaft aufweist?

In den Nachrichten wird ein Film gezeigt, um zu erklären, wie es zu der aktuellen Notlage gekommen ist. Ein Mann hockt vor einer bis zum Rand mit goldenen Talern gefüllten Schubkarre. Die Schubkarre sieht schäbig aus. Das Gold ist prächtig und leuchtet. Die Kamera verweilt für einen Moment auf den Münzen. Obwohl es sich um einen Trickfilm handelt, wirkt ihr Schimmern magisch. Im satten Gelb des Metalls liegen Schwere und Geheimnis, in seinem heiteren Gefunkel Majestät und Ewigkeit.

Das Gold leuchtet so sehr, dass ich am späten Abend in meinem Einzimmer-Apartment aufstehe, um dichter an den Bildschirm heranzugehen. Ohne mich abzuwenden, greife ich in den Kühlschrank und hole ein Bier heraus. Der Blick des Mannes im Trickfilm versinkt in seiner Schubkarre im Schatz. Er nimmt eine Münze und steckt sie sich in den Mund. Der Humor deutscher Fernsehsender ist von Zeit zu Zeit schwer begreifbar. Weshalb die schäbige Karre? Will der Kerl das Gold verschlingen, um es nicht zu verlieren? Warum besitzt er so viele Goldmünzen, aber offenbar keinen einzigen Stuhl?

Der Mann knabbert ein wenig an dem Gepräge, dann nimmt er die Münze wieder aus dem Mund, legt sie vorsichtig zu den anderen zurück und erhebt sich. Er schiebt die Karre ruhelos im Raum umher. Nach einiger Zeit erscheint eine Gedankenblase; *Zypern*, ist da zu lesen, in azurblauem Blau. Neben der Gedankenblase entsteht eine Zeichnung. Während sich mutlose Strumpfsparer – ich sehe, das Bier in der Hand, auf dem Bildschirm einen Strumpf, der Strümpfen ähnelt, die ich besitze, genau genommen ähnelt der Strumpf der Karikatur in Länge und Streifen haargenau dem Strumpf, den ich heute trage, in dem ich jetzt überrascht mit dem großen Zeh wackele –, während sich also mutlose Strumpfsparer mit 1 % bis

1,5 % Zinsen pro Jahr zufriedengeben und sich anhand ihrer Strümpfe auf der Mattscheibe wiedererkennen, sind auf Zypern mindestens 6 % Zinsen zu verdienen.

Das macht bei einer Anlage von 100 000 Euro nach fünf Jahren ungefähr
106 000 Euro hier,
133 000 Euro dort.

Ich blicke nachdenklich auf den Fernseher. Das Rechenbeispiel verschwindet, der Mann und seine Schubkarre rücken wieder in das Bild. Erstaunlicherweise beginnen sich die Taler in der Schubkarre zu bewegen. Sie ruckeln, als wollten sie irgendwo hin. Ich verstehe, die Taler wollen nach Zypern. Der Humor deutscher Fernsehsender mag von Zeit zu Zeit schwer begreiflich sein, ihre Logik ist es nicht. Der Protagonist braucht keinen Stuhl. Er ist stets auf dem Sprung. Der Protagonist hat eine Karre, damit er sein Gold transportieren kann.
Der Mann hebt an und macht sich auf den Weg. Die Taler und das Gesicht ihres Besitzers leuchten. Eine weitere Gedankenblase erscheint. Da steht, *Steuern auf Zypern?* Das Gesicht des Mannes wird rund wie die Sonne. Der Mann lacht. Er schüttelt den Kopf. Die Kamera fährt ein Stück zurück. Die runden, goldenen Münzen und das sonnenrunde Gesicht ihres Besitzers leuchten und strahlen, so wie die Sonne auf Zypern leuchtet und strahlt, damit der Wein reift und die Oliven und die Bananen und die ganzen anderen Früchte und das Gemüse auch.

Das letzte Bild des Trickfilms zeigt eine Fähre. Wo sonst Autos parken, steht Schubkarre neben Schubkarre und Schubkarrenschieber neben Schubkarrenschieber. Alle Schieber sehen nach vorn. Die Fähre will unter ihrer wertvollen Last sinken, doch sie reißt sich zusammen. Das alte Gefährt hebt sich ein Stück aus dem noch immer azurblauen Meer und nimmt Anlauf. Aus dem Schornstein quellen weiße Wolken. Die Fähre fährt in einen südlichen Hafen.

Ich weiß, dass ich ein Kindskopf bin, aber ich stehe vor dem Fernseher und freue mich über das dampfende Schiff.

Die Anwendung der europäischen Regeln zur Eindämmung der Geldwäsche ist auf Zypern nach Ansicht zyprischer Politiker unmöglich, weil sie einen Verstoß gegen Menschenrechte darstellen würde. Ein zyprisches Kirchenoberhaupt hat geäußert, so wie die Leute in Brüssel arbeiteten, könne es mit dem Euro nicht lange gut gehen. Die Kirche sei jedoch bereit, zu helfen und einige Immobilien zu beleihen. Die zyprische Regierung findet den Ansatz prüfenswert. Zu dem Vorwurf, Zypern habe einen aufgeblasenen Bankensektor, hat ein zyprischer Politiker gesagt, so gesehen habe Deutschland einen aufgeblasenen Automobilsektor.

Meinsteiner meint, manchmal sind die Nächsten, die es erwischt, das Letzte.

Na also.
Das Wasser kommt
schließlich doch

Die Brötchen sind welk. Es gibt Menschen, die traurig sind, wenn Blumen welken, bei mir sind es die Brötchen. Wenn welke Brötchen gefährlich sind, bin ich geliefert. Ich denke, dass Sitzungsteilnehmer, die gemeinsam Brötchen essen, sich häufiger als andere Leute fragen, was das um sie herum für Typen sind, warum sie das Leben hierher geführt hat und wie es weitergeht. Ich schätze, dass ich im letzten Jahrzehnt fünftausend welke Brötchen gegessen habe. Ein starker Sitzungsteilnehmer zeichnet sich in unserem Land dadurch aus, dass er sich auch auf welke Brötchen stürzt. Es gibt Brötchen mit einer oder mit zwei Scheiben Wurst, Brötchen mit einer oder mit zwei Scheiben Käse oder Brötchen mit einer oder mit zwei Scheiben Schinken. Auf dem Schinken befindet sich manchmal ein Haufen undefinierbarer weißer Paste. Auf der Paste ist manchmal ein Stück krauser Petersilie drapiert.

Was auch immer oben liegt, darunter welkt das Brötchen.

Mir ist unklar, wie man Brötchen in einen derartig gummiartigen Zustand versetzen kann. Wie verwelkt ein Brötchen ist, erkennt der geübte Sitzungsteilnehmer an dessen Rand. Zeigt der Rand nicht mehr nach oben, sondern nach unten, befindet sich das Brötchen bereits in einem fortgeschrittenen Grad der gummiartigen Veränderung. Das Brötchen sieht noch aus wie ein Brötchen, aber es ist kein Brötchen mehr. Der Teig, der streichfreundliche Butterersatz und der Aufschnitt sind zu einem neuen Gemisch verschmolzen.

Vor einigen Jahren saß ich in einer Sitzung, keine Ahnung, worum es ging, und die Brötchen schmeckten nach Seife. Alle Brötchen schmeckten nach Seife. Die Sitzung dauerte den ganzen Tag. Ich habe mir damals überlegt, dass Sitzungsbrötchen wahrscheinlich aus Kostengründen sehr früh am Morgen vom Reinigungspersonal geschmiert werden. Sozusagen deren letzter Griff. Bis der Sitzungsteilnehmer die Brötchen erhält, schiebt man sie zwischen dem Abwasch verschmierter Teller, dem Dampf der Töpfe und anderen Ausdünstungen hin und her. Wer in einer guten Küche belegte Brötchen bestellt, ist da sowieso schon unten durch. Es ist nicht möglich, von einem vom Küchenchef verachteten, im Morgengrauen vom Reinigungspersonal geschmierten, am Mittag auf einem Tablett hereingereichten Brötchen abzubeißen. Der routinierte Sitzungsteilnehmer weiß an dieser Stelle selbstverständlich Bescheid. Er klemmt sich seine Hälfte zwischen die Zähne, zieht und reißt ein Stück heraus, vermengt das herausgerissene Stück mit seinem Speichel zu einem wiederum neuen Gemisch, formt einen gleitfähigen Klops und schluckt den Klops mit dem Ansatz eines Würgens herunter.

Wir sitzen um den Tisch herum. Jeder von uns hat einen Teller mit Brötchen vor sich stehen. Wir schweigen. Während ich überlege, was geschähe, wenn welke Brötchen verboten wären, bittet Ostrowski Straußer, ihm eine Flasche Wasser zu reichen. Apropos, sagt Straußer, während er die Flasche über den Tisch gibt, später kam dann das Wasser.

Vier Männer und eine Frau starren Straußer an.

Was, ruft Rödel, das sagen Sie erst jetzt? Das ganze Gerede über Rohre und Pläne, welche Leitung wo hingehört oder auch nicht, das technische Gefummel, der elendige Keller, das Herumlaufen im Halbdunkeln ohne eine einzige gescheite Idee, das alles erzählen Sie uns, obwohl das Wasser doch noch gekommen ist?

Ja, sagt Straußer. Das Wasser kam.

Und wie das kam. Wir standen am Becken. Erst war da ein Rucken. Mehr eine Irritation, so ein Gefühl.

Da ist etwas gewesen, etwas stimmt nicht, aber was?

Das Rucken wiederholte sich.

Dann begann der Boden zu vibrieren.

Und dann, sagt Straußer und steht auf, begann der Boden zu beben.

Oh, wie der bebte!

Ehe wir verstanden hatten, was geschah, schoss das Wasser schon in das Becken. Wir konnten unser Glück kaum fassen.

Wie das strömte! Wie das strömte und strömte!

Straußer macht eine Pause.

Und dann, fragt Huse.

Das strömte immer weiter, meint Straußer ergriffen.

Herrgott, ruft Rödel, nun lassen Sie sich doch nicht jeden Tropfen einzeln aus der Nase ziehen.

Das Becken braucht eigentlich zwei Tage, bis es voll ist, sagt Straußer, nun aber füllte es sich in rasender Geschwindigkeit. Wir waren begeistert.

Wir haben gedacht, sagt Straußer mit versonnener Stimme, das ist Wiedergutmachung oder so. Wir haben gedacht, wir fassen besser nichts an.

Straußer macht wieder eine Pause.

Sie haben gedacht, dass sei Wiedergutmachung, fragt Huse.

Huse hebt einen Arm und kratzt sich unter der Achselhöhle. Das Kratzen macht ein scharfes Geräusch.

Strauβer beachtet Huse nicht. Wir sind in den Keller gelaufen. Da hätten Sie dabei sein sollen! Das hätten Sie hören sollen! Das war nicht der gleiche Keller. Das war nicht der Keller, den wir kannten. Das war ein ganz anderer Keller! Und dieser hier lebte!

Durch die Rohre sauste und brauste und tobte es, es war prächtig.

Ein Orkan, sagt Strauβer ehrfurchtsvoll, ist nichts im Verhältnis zu dem, was sich da im Keller in unseren Rohren abgespielt hat.

Strauβer setzt sich. Ostrowski steht der Mund offen. Ostrowski ist hier der Einzige, der sich mit Schwimmbädern auskennt. Ostrowski hat auch kein Problem mit welken Brötchen. Hinten in Ostrowskis offenem Mund ist ein weißlicher Brötchenkloß zu sehen.

Rödel hat fertig gekaut. Ihm wird es mit den Rohren schon wieder zu viel.

Und, fragt er ungeduldig, was geschah dann?

Tja, meint Strauβer, merkwürdigerweise schien auf einmal durch alle Rohre Wasser zu laufen, durch die Frischwasserzufuhr für das Schwimmbad, die Beduftung für die Nordseewellen, die Beduftung für die Ostseewellen, die Beduftung für die Südseewellen, sogar durch Klärkreislauf, Chloreinspeisung, die Frischwasserrohre und die Gebrauchtwasserrohre für die Toiletten, Rödel blickt verzweifelt, Strauβer lässt sich jedoch nicht beirren, und durch die Frischwasserrohre heiß und kalt und die Gebrauchtwasserrohre für die Duschen und die Waschbecken.

Obwohl selbstverständlich niemand Toiletten oder Duschen oder Waschbecken benutzte.

Es lief sogar, sagt Straußer andächtig, Wasser durch die Rohre, deren Sinn wir nicht kannten.

Die Rohre, meint Straußer jetzt erneut und nickt dabei, die Rohre sind ein Mysterium.

Die Stimmung hat etwas Undefinierbares. Rödel betrachtet Straußer nachdenklich. Huse hat seinen Arm wieder heruntergenommen und sitzt ganz gerade. Straußer greift nach einem Brötchen, er will das Brötchen zum Mund führen. Da holt ihn die Erinnerung wieder ein. Die Bewegung stockt. Straußer erstarrt. Straußer hält das Brötchen in der Luft in der Hand. Der Rand des Brötchens zeigt nach unten.

Im Sitzungsraum ist es ganz still.
Straußers Geschichte ist noch da.

Draußen, am Fenster, zwitschert eine Meise.

Ostrowski hat seinen Mund wieder geschlossen. Der Brötchenklops wandert langsam und ohne ein einziges Würgen in Ostrowski hinab.

Ich beobachte Ostrowskis Hals, er beult sich aus.

Ich lausche dem Vogelgezwitscher. Ostrowski starrt auf Straußer. Ostrowski scheint das Ende zu ahnen. Er murmelt Unverständliches. Auf seiner Stirn bilden sich Falten. Ostrowski will etwas tun. Er greift nach einer Flasche und schenkt sich Wasser nach. Es gluckert. Ostrowski blickt auf die Flasche und stellt sie mit einem Kopfschütteln beiseite.

Wir sehen einander vorsichtig an.

Das Unheil, sagt Straußer, nahm seinen Lauf, als die Wellenwerferbeschleunigungsrohre anfingen zu arbeiten.

Die Wellenwerferbeschleunigungsrohre erwachten zum Leben,
ruft Straußer und richtet sich auf, die erwachten zum Leben
und gaben ein Röhren von sich!

Ein Röhren, ein unglaubliches Röhren!

So wie eine Rakete röhrt.

Es brüllte, als wären die Rohre von innen entflammt.

Schubstufe eins, ruft Straußer. Schubstufe eins im Kellerrohr!

Wir dachten, das Gebäude hebt ab.

Und dann, sagt Straußer andächtig, ging es erst richtig los.

10 000 000 000 Euro
werden es mindestens

Ich habe Meinsteiner von den Gerüchten erzählt. Es heißt, Zypern brauche in den nächsten Tagen 5 000 000 000 Euro. Jetzt starre ich über den Gang.

Wenn ich ehrlich bin, giere ich danach, was Meinsteiner sagt. Ich liebe es, wenn Meinsteiner spricht. Ich liebe es, wenn Meinsteiner seine Ansichten entfaltet, wenn er seine Meinung Satz für Satz zum Besten gibt. So wie andere Leute Süßes fressen, fresse ich Meinsteiners Worte. Meinsteiner lässt sich nicht beeindrucken. Meinsteiner hat seinen eigenen Kopf. Meinsteiner nimmt sich seine Zeit und denkt die Dinge auf eigene Art zu Ende. Allerdings ist es nicht leicht, Meinsteiner zum Sprechen zu bringen.
Ich weiß nicht, ob ich es eine Regel nennen soll, aber es läuft immer nach dem gleichen Muster ab. Wenn etwas Neues zur Sprache kommt, sehe ich fragend zu Meinsteiner hinüber. Meinsteiner beantwortet meinen Blick nicht. Meinsteiner scheint nicht einmal zu bemerken, dass ich ihn ansehe. Er sitzt ganz herrlich in seinem Stuhl und hat alle Zeit der Welt. Meinsteiner hat auch einiges zu tun. Genau jetzt, in diesem Moment, wenn ich zu Meinsteiner hinüberblicke, wenn ich auf seine Worte warte, wird Meinsteiner überall gebraucht. Meinsteiner hat eine Idee,

er reckt den Hals und sieht sich angelegentlich um. Meinsteiner winkt einen Kollegen aus der Ferne herbei und wechselt einige Sätze. Meinsteiner wühlt genüsslich in seinen Papieren, holt einen Stift hervor und macht sich Notizen. Meinsteiner grübelt, Meinsteiner grüßt. Meinsteiner hat tausend Dinge im Kopf, Meinsteiner hat überhaupt nicht die Zeit, er kommt überhaupt nicht auf die Idee, mit mir über die Frage, die so dringend seiner Stellungnahme bedarf, zu sprechen.

Eine Weile kann ich das, was ich Meinsteiners Einlage nenne, ertragen. Dann wird es mir zu viel. Gut, denke ich, du hast deinen Auftritt gehabt. Nun rede. Ich starre Meinsteiner unverhohlen an. Keiner, den ich in dieser Weise anstarre, kommt an meinem Blick vorbei. Es dauert nicht lange, dann lächelt Meinsteiner mir zu.

Meinsteiner lächelt, aber er spricht noch nicht.
Meinsteiner wartet eine Minute. Die schmerzt.
Er wartet noch eine zweite.

Dann öffnet Meinsteiner den Mund. Er formt so etwas wie das erste Wort. Ich meine, es ist so weit und hänge an seinen Lippen. Manchmal, das will ich nicht bestreiten, halte ich in diesem Augenblick den Atem an. Ich fühle mich leer, ungefähr so, als ob ich selbst nicht sprechen könnte, als ob ich selbst keine Worte mehr wüsste. Tief drinnen weiß ich natürlich, dass es noch nicht so weit ist. Meinsteiners Nachdenken verlangt mehr Zeit. Meinsteiner wartet, er ahnt sein Bedürfnis, noch zu schweigen, akzeptiert und schließt den Mund wieder, ohne zu sprechen. Meinsteiner wendet sich ab. Er senkt den Kopf und hat mich bereits wieder vergessen.

Obwohl ich genau weiß, wie es abläuft, sitze ich da und rege mich wahnsinnig auf. Ich sage mir, jetzt ist Schluss. Meinsteiner kann diese Show in Zukunft ohne mich durchziehen. Soll er doch verhungern an seinen staubtrockenen Sätzen. Natürlich habe ich versucht, diesen Teil auszulassen. Natürlich habe ich versucht, mein Interesse zu verbergen. Ich habe versucht, mich nicht über Meinsteiner, nicht über seine Lippenübungen zu ärgern. Ich habe sogar an Meinsteiner vorbeigeschaut und so getan, als wäre mir seine Existenz egal. Ich musste bald einsehen, dass dies nichts bringt. Wenn Meinsteiner bemerkt, dass ich nicht zu ihm hinüberblicke, sagt er gar nichts. Warum sollte er auch reden, wenn ihm niemand zuhören möchte? Meinsteiner verlangt, dass man ihm ins Gesicht schaut. Meinsteiner verlangt, dass man wartet, wenn man wissen will, was er denkt.

Zypern. Ich sitze am Gang und starre.

Ich krieche.
Ich ergebe mich.

Meinsteiner lächelt. Meinsteiner nickt. Zu meinem Erstaunen ist seine Einlage für heute schon zu Ende. Er winkt mich mit einer kleinen Handbewegung heran. Nach den aktuellen Schätzungen benötigt Zypern zunächst ungefähr 5 000 000 000 Euro. Ungefähr heißt in diesem Zusammenhang zwar auch *ungefähr*, außerdem aber *mindestens*. Zunächst heißt zunächst. Wenn man bedenkt, dass die Deutschen im Durchschnitt 29 000 Euro im Jahr verdienen und dass Zypern eine kleinere Insel ist, sind 5 000 000 000 Euro eine recht beachtliche Summe. Trotzdem rechnet kein vernünftiger Mensch damit, dass es bei 5 000 000 000 Euro für Zypern bleibt.

Seitdem in den Nachrichten nur noch Zahlen vorkommen, sagt Meinsteiner, die so groß sind, dass sie keinen Bezug mehr zu der eigenen Lohntüte erlauben, geht es mehr um die Anzahl der Nullen als um die erste Ziffer. Wenn heute einer eine Zahl nennt, will er keine Zahl sagen, die zählt, sondern die Richtung zeigen, in die eine Zahl läuft.

Für 5 000 000 000 Euro, sagt Meinsteiner mit trockener Stimme, ruft heute keiner mehr an.

10 000 000 000 Euro ad hoc, sagt Meinsteiner mit dem Anflug eines Lächelns, vielleicht einem kleinsten Zeichen von Humor, irgendwo weit hinten in seinen reptilienhaft ausdruckslosen Augen, 10 000 000 000 Euro und ein warmer Geldstrom gen Süden über Jahrzehnte. Und das ist natürlich noch nicht alles. Früher hat man überlegt, wer Kredit gibt, warum er den Kredit geben soll und wie die Schulden zu besichern sind. Das Gewissen des Schuldners war rabenschwarz. Ein anständiger Kaufmann verließ der Ehre wegen für ein Jahrzehnt das Land. Arbeitete Tag und Nacht, um das Geld so bald es geht zurückzugeben. Heute macht man das nicht mehr so. Ein Staat, der heutzutage Schulden zurückzahlen möchte, hat das Finanzsystem, das die hohe Politik für unser Geld ersonnen hat, noch nicht vollständig verstanden. Wer heute Schulden zurückzahlen möchte, ist von gestern. Wer es dagegen schafft, ohne einen Rückzahlungsplan viel zu leihen, ist von morgen.

Respekt verdient, meint Meinsteiner, wem es gelingt, heute mehr zu leihen, als er selbst bei bester Entwicklung der Dinge irgendwann in der Zukunft theoretisch zurückzahlen können könnte.

So wie die Griechen.

Meinsteiner spricht die Griechen mit einem sehr langen I.

Wer viel geliehen hat, sagt Meinsteiner, bekommt in Europa noch mehr. Nach meinem Wissen, sagt Meinsteiner, hat noch niemand versucht, einen Plan zu machen, wie eine Rückzahlung der südeuropäischen Schulden wirklich gelingen könnte.

Meinsteiner blickt auf seine Unterlagen und schweigt. Sonst liebe ich es wirklich, wenn Meinsteiner spricht. Meinsteiners Sätze sind zukunftsfest. Meinsteiner weiß, was wir tun müssen. Heute ist es anders. Für einen Moment beschleicht mich das Gefühl, dass Meinsteiner traurig ist. Ich kehre zu meinem Platz zurück. Meinsteiner nimmt einen Stift und beginnt wieder zu schreiben.

Im Keller
kommt es schneller

Die Wellenwerferbeschleunigungsrohre, sagt Straußer, begannen im Keller zu röhren und das Wasser im Becken begann zu wogen. Es wogte.

Es wogte immer stärker.

Straußer sieht sich im Sitzungsraum um. Sein Gesicht ist von einer Schweißschicht bedeckt. Die Brille sitzt krumm auf seiner Nase. Straußer sieht jetzt irre aus. Sein eindringlicher Blick ist mir unangenehm. Ich lege mein Brötchen weg und falte die Hände.

Und dann, sagt Straußer, kam die Brandung.

Und dann kam die Brandung, wiederholt Rödel feierlich. Endlich war sie da.

Straußer nickt und sieht auf die Wand. Er sieht etwas, das wir nicht sehen.

Die Brandung, sagt er mit unheilvoller Stimme, begann zu schäumen. Die Brandung baute sich auf und schäumte noch mehr. Die Brandung wurde lauter und lauter, die Brandung wurde wilder und wilder.

Straußer wird jetzt selbst laut, Straußer wird selbst wild. Die Brandung, brüllt er, die brüllte, die tobte, die röhrte und krachte. Eine riesige, eine gigantische Brandung war das, die sich da in dem Bassin in der Schwimmbadhalle vor unseren Augen aufbaute, während im Keller ein Brandungserzeugungskörper raste.

Strauß er schäumt. Speichel läuft aus seinen Mundwinkeln.

Da waren Rohre, ruft Strauß er, in denen es strömte und pumpte, durch die das Wasser schoss.

Eine Maschine, die lebt, die wie ein Körper stöhnt und wütet.

Eine Maschine außerhalb menschlicher Macht.

Nein, sagt Strauß er mit plötzlich trauriger Stimme, wir konnten es nicht aufhalten.

Zum ersten Mal vergisst Huse sein dämliches Grinsen. Frau Meier-Feinspitz legt ihren Stift so sanft beiseite, als wäre er aus Porzellan.

Der letzte Tag, sagt Strauß er tonlos und blickt zu Boden. Der letzte Tag für unsere Halle. Die Wellen waren bald meterhoch. Die Brandung stürmte gegen den Beckenrand. Die Halle zitterte unter der Wucht der Schläge.

Und dann hat das Meer, Strauß er steht mit aufgerissenen Augen vor uns, die Halle in Besitz genommen. Das Meer wuchs über sich selbst hinaus, es türmte sich auf, es schoss aus dem Bassin heraus und begrub die Halle unter sich.

Strauß ers sonst leblose Augen rollen jetzt wie die offene See.

Strauß er steht da und schnappt nach Luft.

Erst nachdem alles zerstört war, sagt Strauß er leise, zog sich das Wasser zurück. Wir wussten es sofort. Eine kaum sichtbare Änderung, und es war vorbei. Das Röhren im Keller erstarb. Die Brandung ließ nach. Die Wellen rollten noch einige Male über den Beckenrand. Dann sammelte sich das Wasser im Pool. Der Pegel begann zu sinken.

Strauß er schweigt.

Alle schweigen. Rödel macht einen Versuch, seine Akte zu ordnen. Nach kurzer Zeit gibt er auf. Huse schielt auf den Stift von Frau Meier-Feinspitz. Dass Ostrowski in dieser Situation Wasser trinkt, ist mir zutiefst zuwider. Es gluckert in seiner Kehle. Ich überlege mir, wo der weiße Brötchenklops geblieben ist. Ich überlege mir, ob das Wasser, das Ostrowski säuft, mit ihm spricht. Vielleicht sollten wir den Keller besichtigen, meint Frau Meier-Feinspitz mit ihrer eher unscheinbaren, aber genauen Stimme.

Unbezahlte
Rechnungen

Es fällt mir schwer, der Debatte zu folgen. Der Tag mit Rödel steckt mir in den Knochen. Ich versuche mich zu konzentrieren. Ich meine, Sitzungen hat die Natur nicht vorgesehen. Der Körper ist nicht dafür gebaut, stundenlang auf einem Stuhl zu hocken, ohne etwas zu tun. Das Wort Sitzung beschreibt keine Tätigkeit, sondern einen Zustand. Man sagt, dass die Struktur der Synapsen sich dem annähert, was der Mensch denkt und erlebt. Ob die Gehirnbahnen von Abgeordneten anders aussehen als die Gehirnbahnen ihrer Wähler? Ich blicke mich um. Einige Kollegen haben die Augen geschlossen, andere lesen. Manche sehen nach vorn.

Zypern benötigt nach neusten Meldungen mindestens 10 000 000 000 Euro. Europa staunt über die Früchte seines Wirkens. Da sind Staaten, die über Jahre immer neue Anleihen begeben und sich hemmungslos verschulden, und da sind Banken, die diese Anleihen über Jahre hemmungslos kaufen. Die Europäische Zentralbank senkt die Leitzinsen auf Druck der Regierungen weiter und weiter, damit die Banken noch mehr Geld zur Verfügung haben, noch mehr Staatsanleihen kaufen und so den Staaten noch mehr Geld leihen. Die Europäische Zentralbank gehört den Staaten. Der Teufel tanzt im Kreis. Die gegenseitige Abhängigkeit wächst.

Längst wird am Finanzmarkt gewettet,
ob Europa für seinen Süden aufkommt.
Die Anleihen Griechenlands stürzen und steigen.
Wer auf der richtigen Seite steht, macht riesige Gewinne.

Die Steuerzahler stehen nicht auf der richtigen Seite. Kann Europa einen Zusammenbruch Zyperns verkraften? In den Zeitungen wird das zyprische Zinssystem diskutiert. Eine kleine Insel hat mit Steuertricks und dubiosen Anlegern Geld gescheffelt und jetzt die Quittung erhalten. Warum sollen die Europäer zu ihrer Rettung Milliarden aufbringen? Auch anderen Ländern Europas geht es nicht gut.

Es ist ja schon schwer zu verstehen, wie viel eine Milliarde ist. Wie lange brauchen Sie, um im Laden an der Ecke eine Milliarde auszugeben?

Wie lange brauchen Sie, um eine Milliarde zu verdienen?

Wer verdient die Milliarden für Zypern?

Wir sind Europa! Die Kleinen auch. Die Zyprer gehen davon aus, dass die anderen Länder mindestens 10 000 000 000 Euro zahlen. Das ist schließlich eine Frage der Solidarität. Reformen auf dem Papier ja, Reformen, mit denen sich die Wirtschaft und die regierende Kaste in den Schuldnerstaaten verändern, später. Die Genialität unserer Fernsehsender habe ich inzwischen verstanden. Die Schubkarre bedeutet, das Geld steht in jedem Land stets zur Abreise bereit. Die Zyprer wollen die Abreise der goldenen Taler gern verhindern. Zyprische Regierungsmitglieder sollen Millionen als private Geschenke erhalten haben. Ob die Kleinsparer ihres Landes zur Kasse gebeten werden, ist der Regierung Zyperns ziemlich gleichgültig. Wichtig ist, dass die Großanleger mit einer mindestens halb vollen Schubkarre Gold, plus Zinsen, aus dem Schlamassel herauskommen.

Ich weiß nicht so recht. Ich bin in einer kleinen Stadt aufgewachsen. Eine Welt, in der die einen nur geben und die anderen nur nehmen, würde bei mir zu Hause nicht funktionieren. Wenn wir mit der Überweisung von Milliarden und Milliarden verhindern, dass sich etwas ändert, wenn wir immerzu bezahlen, ohne genug für unser Geld zu verlangen, erwischt es uns irgendwann selbst.

In Berlin sind viele anderer Meinung. Sie sagen, wer immerzu von Haftung und der Rückzahlung von Schulden redet, will nicht, dass andere wachsen. Der gibt denen, die Probleme haben, nicht genug Luft. Bleiben wir doch entspannt. Pläne und Schulden, Geld; das wird doch ohnehin alles nur auf Papier gedruckt, was soll's? So lange die Druckerpresse läuft, haben wir die Lage im Griff. Und wenn es schiefgeht, wer produziert dann immer noch die besten Autos der Welt?

Ich sitze im Plenarsaal und wundere mich darüber, was die Leute sich so trauen. Was für einen Unsinn sie behaupten und wie geduldig die Zeitungen schreiben. Ich weiß nicht, ob einer den Mut hätte, dieses Zeug zu Hause vorzutragen und die eigene Familienkasse dafür einzusetzen. Offenbar ist der gesunde Menschenverstand inzwischen ebenfalls in den Süden abgereist.

Wobei ich mich natürlich auch schon gefragt habe, ob das ganze Geld existiert. Ob so viel Geld überhaupt existieren kann. Haben wir uns unsere Probleme vielleicht ausgedacht? Verschwinden alle Schulden in der Luft, wenn wir aufhören, an sie zu denken? Wir veranstalten eine europäische Konferenz und zerreißen alle Zettel! Die Staatsbank kauft mit frisch gedrucktem Geld die von ihr selbst begebene Anleihe und wirft sie einfach weg. Und die Kredite und Hilfspakete geraten in Vergessenheit.

Wir haben sie längst vergessen.
Die Kredite und Hilfspakete sind noch da.

Ich kann nur sagen, da wo ich herkomme, werden alle Rechnungen fällig. Über Stundung und Zinsen kann man hier und da verhandeln, aber fällig werden sie gewiss. Es funktioniert ganz einfach. Die Leute klingeln am Abend an der Haustür und verlangen ihr Geld.

Außer Banken sollen auf Zypern auch fast vierzigtausend Briefkastenfirmen registriert sein. Eine Untersuchung hat ergeben, dass die Banken bei ungefähr dreihundertsechzig von vierhundert geprüften Großanlegern nicht wussten, wer ihre Kunden waren. Die Besitzer hatten sich hinter einem Geflecht aus Tarnfirmen verborgen.

Ich denke an eine südländische Stadt am Meer. Unter Balkonen, mit Blumen bepflanzt, blinken Briefkästen mit fremdländischen Namen. Keiner kennt ihre Besitzer. Niemand spricht darüber, ob jemals Post die Briefkästen erreicht. In der Nacht werden die Schilder mit den Namen geputzt.

Seit heute früh bin ich im Plenarsaal. Ich sehe über den Gang. Wenn es uns erwischt, dann Meinsteiner zuletzt. Meinsteiner hat sich auf seinen Stuhl zurückgezogen. Er verschwimmt mit dem Mobiliar. Meinsteiner hat den Kopf nach vorn geschoben und beobachtet, was geschieht. Ich versuche, der Debatte zu folgen. Ich lese, ich schreibe Nachrichten, ich sehe, wie andere

Nachrichten gelesen und geschrieben werden. Ich sehe, wie in den Reihen neben und vor mir Kollegen und Kolleginnen in ihre Stühle sinken. Ich schließe die Augen und stelle mir vor, wie wir mit geschlossenen Augen dasitzen.

Meinsteiner, der Mann, der immerzu nachdenkt, der die Möglichkeit hinter der Möglichkeit hinter der Möglichkeit betrachtet, der die allerletzte Möglichkeit in der Reihe verwirft, die betrachteten Möglichkeiten allesamt für unmöglich erklärt und sogleich eine Kette anderer Möglichkeiten in das hinter seinem Auge unsichtbare Auge fasst, Meinsteiner, der immerzu etwas meint, was er immerzu nicht sagt, in dessen Kopf sich Gedanken maschinengewehrartig hintereinander legen, dieser Meinsteiner hat zu mir gesagt: Überlegen Sie nicht dauernd. Machen Sie sich keinen Kopf. Es geht immer irgendwie weiter. Kümmern Sie sich derweil um Sachen, die man brauchen kann.

Meinsteiner ist eine Schildkröte. Ich muss lächeln. Seine Haare werden dünn.

Meinsteiner ist eine Parlamentsschildkröte und wartet ab.

Aus gutem Grund
läuft alles schlecht

Rödel blättert. Jetzt gehen wir das Ganze noch einmal in Ruhe durch, sagt er, und sieht sich um. Rödel will entschlossen wirken, aber er sieht müde aus. Früher ist Rödel mit Elan hereingekommen, er riss den Umschlag auf, er zog die Sitzungsmappe mit einem Schwung heraus und betrachtete sie mit Neugier. Da war etwas Fremdes und Rödel nahm es unbeschwert in Besitz. Jetzt wühlt er planlos in den Unterlagen herum.

Rödel scheint zu bemerken, dass er die Lage nicht in den Griff bekommt. Er blickt ärgerlich, holt tief Luft und blättert langsamer. Für einen Moment ist nichts zu hören, außer dem Umschlagen der Seiten. Schließlich hebt Rödel den Blick. Er konzentriert sich auf Strauß, der ihm wachsam gegenübersitzt. Dieses Mal machen Sie nicht wieder solche Mätzchen. Keine Fisimatenten!
Und kommen Sie uns nicht noch einmal mit Rohren und so. Konzentrieren Sie sich, sagt Rödel, er breitet einladend die Arme aus, sieht Strauß aber misstrauisch an, konzentrieren Sie sich einfach auf das Wesentliche.
Ja, sagt Strauß. Die Zentralgeräte zur Entfeuchtung, die Geräte zur Entlüftung der Halle, die funktionieren zwar geräuschlos, aber keinesfalls problemlos. Vielleicht liegt es an dem An-

schluss der Luftkanäle, an den Leitungen oder am Wasser, dass bereits im Umluftbetrieb Schwankungen auftreten.

Also, sagt Strauß, klar und einfach gesprochen, womöglich reicht die Entfeuchtungsleistung zur Entfeuchtung der Schwimmbadhalle nicht aus. Vielleicht stimmt etwas nicht mit dem Kondensationsprozess oder der Wärmerückgewinnung. Es kann sogar sein, sagt Strauß, dass wir ein EZG-Problem haben.

Strauß macht eine bedeutungsvolle Pause.

Strauß sieht den Aufsichtsrat an, als erwarte er eine Antwort.

Blitz und Donnerknall, sagt Huse. Klar und einfach gesprochen.

Ostrowski blickt Strauß scharf ins Gesicht. Weil keiner weiß, was zu tun ist, warten alle auf den Vorsitzenden.

Rödel hat Straußers Ausführungen noch nicht ganz verdaut. Rödel bemerkt, dass er dran ist. Rödel bemerkt, dass er etwas sagen muss.

Wie bitte, sagt Rödel.

Nun, sagt Strauß, natürlich haben wir die Erdarbeiten und das Verlegen der Grundleitungen, die Versenkung der Bodenplatte und den Rohbau des Kellers sowie den Rohbau der Geschosse und dies und das und auch noch alles, was dazugehört, Schritt für Schritt durchgeführt.

Was bedeutet das, dies und das und auch noch alles, was dazugehört, frage ich.

Strauß setzt zu einer Antwort an, besinnt sich aber und schweigt.

Wäre es nicht sowieso schwierig gewesen, die Reihenfolge zu verändern, fragt Frau Meier-Feinspitz.

Das Dach vor dem Keller, sagt Huse.

Ostrowski fasst sich an den Kopf.

Daran hat es also nicht gelegen, sagt Rödel.

Nein, sagt Straußer, daran liegt es nicht.

Also, ich glaube, sagt Rödel mit autoritärer Stimme, wenn das so ist, dann müssen wir da noch einmal ganz grundsätzlich ran.

Vielleicht, sagt Ostrowski, können Sie uns das Ganze ja anhand der Pläne erläutern.

Sehr gern, sagt Straußer. Wo sollen wir anfangen?

Vorn, sagt Rödel, vorn.

Straußer nickt, er steht auf und beugt sich über die Präsentationsfolien. Straußer zupft einzelne Folien aus dem Anfang, aus der Mitte und aus dem Ende des Stapels heraus und wendet sich wieder dem Aufsichtsrat zu.

Ich zeige Ihnen jetzt, sagt Straußer, während er mit einigen Folien in der Hand wedelt, den Ablauf des Schwimmbadbaus. Nehmen wir zum Beispiel die Rohbauphase.

Straußer legt eine Abbildung auf den Projektor.

Straußer betont das Wort Rohbauphase, als handelte es sich um ein rohes Ei. Auf dem Chart befinden sich die üblichen Linien. Sie beginnen hinter einem Wort und laufen entlang von Punkten, deren Bezeichnung unlesbar ist, nach rechts über die Seite.

Das Freimachen des Grundstücks, sagt Straußer und zeigt auf die erste Linie, der Aushub der Baugrube, er zeigt auf die zweite, und die Gründungsarbeiten, Straußer deutet auf die dritte Linie, verliefen problemlos. Völlig problemlos.

Ich meine, sagt Straußer, das kann man schon einmal sagen, das ist schon eine Leistung; trotz der fundamentalen Fundamentlasten und des recht hoch anstehenden Grundwasserspiegels konnte die Einbringung, das Verlegen von Bewehrungsstahl völlig zeitgerecht durchgeführt werden.

Und selbstverständlich war, Straußer sagt dies mit würdevoller Stimme, bei der Verlegung der Rohre, der Leerrohre, auch der Flaschner anwesend.

Wie heißt der Flaschner, fragt Ostrowski.

Heinz, antwortet Straußer.

Kenne ich nicht, sagt Ostrowski.

Ich auch nicht, sagt Rödel.

Ich überlege, was ein Flaschner macht und warum Ostrowski und Rödel Flaschner beim Namen kennen und ich nicht.

Ich hatte mal einen Flaschner, sagt Huse, auf Teneriffa war das, der griff dauernd zur Flasche. Eine echte Flasche war das, der Flaschner mit Flasche! Huse haut sich auf den Schenkel und lacht.

Irgendwann werde ich Huse auf die Nase hauen. Mir ist völlig unklar, wie dieser Mann zu einem der erfolgreichsten Immobilienunternehmer der Stadt werden konnte.

Huse grinst mich an und winkt mir zu. Ich wende den Blick ab. Straußer nimmt eine andere Folie. Er legt sie auf den Projektor und betrachtet die Leinwand.

Auch mit den Zimmerarbeiten und mit den Holzbauarbeiten, sagt Straußer, nachdem er verstanden hat, was auf der Seite steht, ist es ganz erstklassig gelaufen. Erstklassig! Wir haben aufgeschlagen wie die Weltmeister! Schauen Sie nur hier, Pfetten und Sparren! Und schauen Sie erst auf die Dichtungsbahnen! Oder nehmen wir zum Beispiel das Einlatten.

Also, Trauflatte, Firstlatte, eigentlich die ganze Pfanne, sagt Straußer im Brustton der Überzeugung, die haben wir gelattet, als wäre morgen der letzte Tag.

Sie haben einen an der Latte, sagt Huse.

Alle gucken irritiert. Die Sitzung entfaltet, wie Rödel später sagen wird, an dieser Stelle eine gewisse Eigendynamik. Die nächsten beiden Stunden versinken in einem Gewirr aus Erklärungen und Zeitplänen. Strauße zieht Chart um Chart hervor und benutzt Begriffe, die niemand außer ihm selbst zu kennen scheint. Er wandert auf dem kritischen Pfad des Projektes und der Teilprojekte und der Teile der Teilprojekte durch den dichten Wald der Bauphasen, er schreitet aus, grüßt die Gewerke, überwindet Abhängigkeiten und Subabhängigkeiten, steigt unsichtbare Wege hinauf wie hinab und verschwindet plötzlich in der Tiefe eines Bauabschnitts. Strauße erklimmt lichte Höhen und Ausblicke. Strauße winkt uns zu, wenn er einen Gipfel erreicht.

Der Aufsichtsrat schweigt. Ich bemühe mich nach besten Kräften, den Ausführungen zu folgen. Ich blättere und suche, lege Plan neben Plan. Ich rätsele über die Bedeutung von Abkürzungen und ersinne mir einen Weg durch die Unterlagen. In dem Moment, in dem ich glaube, die Abläufe verstanden zu haben, verliere ich den Überblick. Ich versuche mich zu konzentrieren, aber es ist vorbei. Der Raum rückt von mir ab. Vor meinen Augen verschwimmen Badelandschaft und Schlossplatz, Zeitpläne und die Gegenwart. Strauße spricht und befindet sich zur gleichen Zeit in einer anderen Welt.
Ich sitze in dem Konferenzraum und sehe mich, während ich meine Papiere ordne. Ich frage mich, was existiert. Da sind die Pläne, da sind meine Gedanken, Strauße, der Aufsichtsrat und das Schwimmbad. Strauße zeigt auf die Leinwand, aber ich höre nicht, was er sagt. Für einen Moment liegt ein hoher Summton über Worten und Bildern. Die Wirklichkeit hat einen Knacks.

Ich weiß nicht, wie lange es dauert, bis mein Blick zum Fenster wandert. Ich schaue auf die Fassaden und freue mich darüber, dass die Stadt noch da ist. Der Himmel über den Häusern auf der anderen Straßenseite ist blau. Drinnen sind einige Folien auf den Fußboden gefallen. Der riesige Tisch ist über und über mit Papieren bedeckt. Straußer spricht noch immer.

Der Politiker
hat einen eigenartigen Beruf

Ich bin mir nicht sicher, ob das mit den Synapsen stimmt. Der Gedanke, dass Neurochirurgen in unsere Gehirne gucken und herausfinden, dass in den Schädeln der Volksvertreter andere Bahnen als in den Köpfen ihrer Wähler aufzufinden sind, ist mir nicht angenehm. Ich weiß auch nicht, ob ich die gleichen Gehirnbahnen besitzen möchte wie meine Kollegen. Wie zum Beispiel Meinsteiner.

Ich überlege, wie es in Meinsteiners Kopf wohl aussehen mag. Ich überlege, dass vielleicht sogar die Gedanken über Synapsen Synapsen nach sich ziehen, dass ich mich mit diesen Gedanken Meinsteiner und Meinsteiners Gedanken und Meinsteiners Synapsen nähere.

Zugegeben, wir sitzen ähnlich. Obwohl es mir nicht gefällt, dass Meinsteiner und ich ähnlich sitzen. Meinsteiners Art, dem Stuhl zu Leibe zu rücken, Meinsteiner sitzt steif und flüssig zugleich, Meinsteiners, wenn man es so nennen möchte, Sitzhaltung hat mindestens zwanzig Jahre im Genick. Mir ist es nicht angenehm, dass ich mich nicht so gerade halte, wie ich es mir wünsche, dass auch ich nachlässig in meinem Stuhl versinke, dass ich mich im Vollzug der kleinen menschlichen Bedürfnisse ganz offensichtlich viel meinsteinermäßiger verhalte als gedacht. Ich glaube allerdings, es kann nicht ausbleiben, dass man ähnlich sitzt, wenn man so lange sitzt, wie wir sitzen, so lange in den gleichen Stühlen sitzt und dieselben Redner hört und die gleichen Unterlagen liest, während neben uns Kollegen dasselbe reden. Hinzu kommt das Blau-Violett unserer Stühle, diese merkwürdige Farbe, die von der Natur nicht verwendet wird, aus gutem Grund trotz der riesigen Vielfalt der Schöpfung fast nie verwendet wird, dieses Blau-Violett, das Farbgemisch eines blinden Computers und eines farbenblinden Architekten.

Wenn die Sache mit den Synapsen stimmt, dann stimmt sicher auch, dass Farben Einfluss auf unser Gehirn nehmen, dass es eine Farbenlehre der Gehirneinflussnahme gibt, dass der Anblick von Farben Synapsen gebärt und Synapsen tötet.

Dann kommt Blau-Violett ganz vorn.

Trotz hoher Worte klettern wir alle in demselben Bau herum. Wir sind stolz darauf, in diesem Parlament zu sein, aber Ameisen sind wir auch. Wenn man es genauer bedenkt, gehen Meinsteiner und ich oft die gleichen Wege. Selbst wenn wir schweigend nebeneinandersitzen, kommen wir immer wieder zu demselben Schluss. Ich meine aber, dass die Frage, ob sich die Synapsen in unseren Köpfen einander still annähern und sich zur gleichen Zeit von den Synapsen anderer Menschen, aller Menschen nämlich, die nicht im Parlament sitzen, entfernen, nicht davon abhängt, ob ich oder ob ich nicht sitze, wie Meinsteiner sitzt, und auch nicht davon, ob Meinsteiners Meinung meiner eigenen Meinung entspricht. Das Ähnliche verbindet uns nicht. Unser Tag, das Parlament, unsere Reisen, unsere Abende in den Einzimmer-Apartments, unsere Gespräche vor dem Fernsehgerät, mit dem Fernsehgerät, mit denen, die auf dem Bildschirm des Fernsehgerätes zu sehen sind, und mit denen, die nicht auf dem Bildschirm des Fernsehgerätes erscheinen; unsere Selbstgespräche werfen uns auf uns selbst zurück.

Das Parlament entscheidet über alles. Wenn die großen Themen aufgerufen werden, fühle ich mich von Zeit zu Zeit einsam. Europa, Landwirtschaft, Banken, digitale Welt, Mittelstand, Außen- und Innenpolitik, der Arbeitsmarkt, die Energie- und Gentechnik, wer kann sagen, er weiß Bescheid?
Ich bin neugierig, will es gut machen, ich höre zu und versuche zu begreifen. Ich lerne, denke, was ist das, wie gehst du damit um? Ich gehe so dicht heran wie möglich. Ich lese viel, sitze in Arbeitsgruppen und Ausschüssen, habe eine Sprechstunde und diskutiere in der Fraktion. Ich halte Reden und nutze das Internet. Ich bin jeden Tag um sieben im Büro und fast nie vor zweiundzwanzig Uhr zurück. Trotzdem, vieles von dem, was auf den Tisch kommt, kenne ich nur aus der Theorie. Manchmal gelingt es mir, aus den Erfahrungen, die ich über die Jahre gesammelt habe, einen Maßstab für das Richtige zu gewinnen. Es ist nicht leicht.

Ich bin Berufspolitiker. Die Politik hat mir von Anfang an Freude bereitet. In meinem ganzen Leben habe ich nichts anderes gemacht als Politik und die Arbeit in der Partei. In unserer Jugendorganisation bin ich früh Ortsvorsitzender, Kreisvorsitzender und Bezirksvorsitzender gewesen. In der Zeit, in der ich im Gemeindeverband war, kam ich in den Landesvorstand. Aus dem Kreistag ging es beinahe direkt in den Bundestag. Wenn man es aus der Sicht eines Berufspolitikers betrachtet, ist mein Leben bisher gut gelaufen. In der Wirtschaft nennt man so etwas wohl eine Karriere. Für Politiker benutze ich dieses Wort nicht mehr.

Beifall. Ich blicke auf. Seit zwei Stunden debattieren wir wieder einmal über Europa. Die Reihen sind gut gefüllt.

Ich bin bereit. Zeit für Meinsteiners Einlage.

Ich sehe zu Meinsteiner hinüber und spüre es sofort. Heute macht er nicht mit.

Meinsteiner hat sich schon wieder nach vorn gebeugt, Meinsteiner schreibt und schreibt. Natürlich weiß Meinsteiner, dass ich ihn ansehe. Ich frage mich, warum er sich verweigert. Ich finde es beunruhigend, dass Meinsteiner sich anders verhält als sonst und dass er so geheimnisvoll tut. Es stört mich nicht, dass Rödel von Zeit zu Zeit, und mit dem Schwimmbad immerzu, irre ist. Auch wenn es mich überrascht, dass ihn niemand aufhält, freut mich Rödels Tatkraft. Rödels punktueller Irrsinn hält uns wach. Sein Abschweifen fällt letzten Endes nicht ins Gewicht. Meinsteiner hingegen darf nicht verrückt werden. Meinsteiner ist ein Bewahrer, ein stiller Teil der Arbeit dieses Parlamentes. Meinsteiner ist eine Konstante, er hält unsere Werte aufrecht und ruft sie in unser Gedächtnis zurück.

Die Debatte findet kein Ende. Gerade weil ich ein überzeugter Europäer bin, weil ich mir Deutschland gar nicht anders vorstellen kann als in der Mitte dieses großartigen, bunten Kontinentes, mache ich mir Sorgen. Die Verhandlungen über Rettungsschirme machen mich krank. Ich finde es furchterregend, dass nächtliche Treffen über das Wohl von Nationen entscheiden, die einem Basar zur Ehre gereichen würden. Wenn Sekretariate einen Termin in Brüssel machen, buchen sie die letzte und die erste Maschine. Ohne nachzufragen, kein Hotel.

Es ist nicht klug, Fragen von Bedeutung in der Tiefschlafphase zu verhandeln. In meiner kleinen Stadt ist spätestens um zweiundzwanzig Uhr Schluss. Ein letztes Bier und wir gehen heim. So, wie es in Brüssel läuft, würde ich nicht einmal einen Gebrauchtwagen kaufen. Wenn ich europäische Gipfelpressekonferenzen sehe, muss ich lachen und weinen. Gemeinsam mit der Kamera und den Zuschauern blicken übernächtigte Verhandlungsführer auf die zurückliegenden Stunden. Was haben wir im Morgengrauen beschlossen? Wenn über die Verhandlungsergebnisse gesprochen wird, gibt es stets unterschiedliche Interpretationen. Wenn die Verhandlungsführer die Gipfelpressekonferenz verlassen, geben sie Kommentare ab, in denen sie noch mehr Unterschiedliches sagen. Einen Tag später haben die Verhandlungsführer ausgeschlafen. Dann erklären sie vor der heimischen Presse wieder anderes, als sie selbst am Morgen nach den Verhandlungen gesagt haben. Ich frage mich, ob eine schlaflose Nacht plus Pressekonferenz, plus eine Nacht mit Schlaf, plus eine neue Pressekonferenz vielleicht dazu führen, dass man glaubt, dass man sich die Welt ausdenken darf. Mit einer großen Idee haben wir Europa begonnen, mit den europäischen Gipfeltreffen findet sie ihr Ende. Wir scheitern nicht an übermächtigen Gegnern, nicht an Kriegen, an Naturkatastrophen oder Plagen. Wir scheitern daran, dass wir Kalender nicht so ausrichten, dass Zeit für das Wesentliche bleibt. So können wir nicht weitermachen. Soll doch einer sagen, morgen treffen wir uns von neun bis zwanzig Uhr. Wer zu spät kommt, hat keine Stimme.

Ich möchte mit Meinsteiner reden, aber er sieht nicht auf. Meinsteiner schreibt und schreibt. Heute würde auch ich gern etwas schriftlich festhalten. Unentschlossen sehe ich nach vorn. Dann wandert mein Blick wieder über den Gang.
Ich muss wissen, was Meinsteiner denkt.

Aus dem Lot

Strauße sucht nach einem Chart. Auch wenn ich glaube, dass lange Sitzungen der Natur des Menschen widersprechen, weiß ich, dass sie so etwas wie einen regelmäßigen Ablauf aufweisen. Am Anfang sind alle neugierig. Das ist die Zeit für Fragen und Antworten. Das ist die Zeit, um die Sache voranzubringen. Nach ein bis zwei Stunden sind alle erschöpft. Und irgendwann wird es still.

Strauße bückt sich, er sucht auf dem Boden nach einer Folie. Als Strauße sie nicht finden kann, fällt er mühsam auf die Knie und verschwindet unter dem Tisch. Der Aufsichtsrat starrt auf den Platz, an dem Strauße eben noch gewesen ist. Strauße bewegt sich leise fluchend.

Dass jemand zwischen unseren Beinen herumkriecht, ist unangenehm. Außerdem hat der Aufsichtsrat jetzt nichts zu tun. Ich ziehe meine Füße dichter an mich heran. Rödel schüttelt seinen Kopf. Huse guckt theatralisch zur Decke und hebt beide Hände. Frau Meier-Feinspitz greift nach ihrem Stift. Frau Meier-Feinspitz hält ihren Stift in der Hand, sie betrachtet ihn, hat aber keine Idee, was sie schreiben soll. Rödel greift mit einer ruckhaften Bewegung nach einem Stapel Papier. Ich glaube, es ist meiner.

Straußers Gesicht erscheint an der Stelle, an der er verschwunden ist. Strauße grinst.

Er steht auf, rückt seinen Anzug zurecht, setzt sich hin und wartet. Offenbar hat Strauße seine Ausführungen mit der Suche nach der Folie beendet. Irgendwo in seinem Gesicht kann ich lesen, dass Strauße meint, er habe seine Sache gut gemacht. In die Stille hinein stellt Ostrowski eine Frage.

Nun sagen Sie mal, fragt Ostrowski mit ruhiger und fester Stimme, wie steht es denn wirklich um das Schwimmbad?

Durch Straußers Körper geht ein Ruck. Sein Blick verändert sich, Strauße wirkt plötzlich hellwach. Ostrowski ist Chef der städtischen Badebetriebe, Ostrowski weiß Bescheid.

Als Strauße antwortet, hat seine Stimme einen vertraulichen Ton angenommen, so, als spräche er mit Ostrowski allein: Die Anzahl der Duschen ist für die Hochsaison nicht ausreichend. In den Umkleideräumen gibt es nicht genügend Schließfächer. Die Schließfächer sind zu klein, vor allem für Familien. Reibungslos funktioniert das Ganze eigentlich nur unter idealtypischen Bedingungen. Sie wissen schon, Einzelbesucher, gut über den Tag verteilt. Und der Betrieb wird viel teurer als gedacht. Die Schwimmbadhalle, die Säulenlandschaft, schöne Architektur, aber wie viele Leute brauchen Sie, um den Überblick zu behalten? Hinzu kommt, dass der Bademeister von seinem Platz das Becken nicht richtig sehen kann.

Dann, sagt Strauße, gibt es auch noch ein paar aktuelle Themen. Die Beduftungen der Wellen werden im Keller aus unerklärlichen Gründen miteinander und mit dem Wasser für die Duschen vermischt. Der Geruch ist widerlich. Die Elektronik in der Halle ist seit der Überschwemmung nass, die werden wir wohl austauschen müssen. Und seitdem wir die Brandung geprobt haben, geht das Deckenlicht im Keller nicht mehr aus.

Weiß der Teufel.

Strauß er sieht Ostrowski ruhig an.

Ostrowski erwidert Strauß ers Blick.

Passen eigentlich die Zeitpläne zueinander, fragt Rödel unvermittelt. Er hält zwei Folien in die Luft, die aus irgendeinem Grund in seinen Unterlagen gelandet sind.

Strauß er erkennt die beiden gesuchten Folien und strahlt.

Strauß er tritt an den Projektor und legt den einen Zeitplan über den anderen. Die Balken sind deckungsgleich. Das passt, selbstverständlich passt das, sagt Strauß er in einem Ton, als ginge es um seine Ehre.

Ist es auch das gleiche Jahr, fragt Huse.

Ich überlege, wann Huse endlich seine dummen Scherze lässt.

Alle starren auf die Leinwand.

In der Ecke der beiden Charts stehen zwei unterschiedliche Jahreszahlen.

Für einen Moment ist kein einziges Geräusch zu hören.

Zurück zum Wesentlichen, sagt Rödel dann. Er sieht Strauß er abwartend an.

Wir werden fertig, sagt Strauß er.

Versprochen, fragt Rödel.

Versprochen.

Frau Meier-Feinspitz atmet tief und streckt ihren Rücken. Frau Meier-Feinspitz kann endlich ihren Stift benutzen. Sie macht eine Notiz. Ostrowski kratzt sich an der Nase.

Rechtzeitig, frage ich.

Huse grinst.

Fertig, sagt Rödel feierlich. Die Sitzung ist geschlossen.

Wir suchen unsere Sachen zusammen und verlassen den Konferenzraum. Im Eingangsbereich des Gebäudes warten wieder einmal Journalisten. Wir geben Rödel den Vortritt. Ich bin schon lange in der Politik, aber es wäre mir in diesem Moment nur schwer möglich, etwas zu sagen. Es gibt da einen Trick, den ich nicht beherrsche. Ich bin der Überzeugung, dass dem Fortkommen kaum noch Steine im Weg liegen, wenn man in seinem Innersten begriffen hat, dass der andere nicht weiß, was man selber weiß. Natürlich begreife auch ich, dass niemand sagen kann, was genau in meinem Kopf vor sich geht. Natürlich ist mir klar, dass nur wir gehört haben, was auf der Sitzung besprochen worden ist. Niemand außer uns besitzt den Überblick darüber, wie es um den Bau steht. Doch es hilft nichts, tief drinnen bin ich ein Kind geblieben. Da ist dieses Gefühl, dass alle Menschen das Gleiche sehen. Dass nichts geheim bleibt, weil uns die Wahrheit ins Gesicht geschrieben steht.

Der Bau steckt fest. Die Kamera läuft.

Wenn alle die Wahrheit sehen, ist die Lüge hartes Brot.

Wenn ich jetzt sprechen müsste, käme die Sitzung hinzu. Rödel ist anders. Rödel betritt die Bühne, und es geht los. Neue Szene, neues Glück. Rödel ist eine Rampensau. Wenn Rödel auch nur in der Ferne eine Kamera entdeckt, blüht er auf. Rödel ist bereit, sich zu vergessen, er tritt vor die Kamera und trifft mit den Augen des anderen auf sich selbst. Was hinter Rödel liegt, bleibt hinter ihm zurück. Rödel schafft es, nicht mehr zu sehen, als er sehen möchte.

Rödel überprüft mit einer routinierten Handbewegung sein Haar. Er ruckt an seinem Hemd und tritt vor die Mikrophone. Rödel beantwortet einige Fragen, dann wartet er auf eine nächste und holt aus.

Das Schwimmbad, sagt er, ist ein kompliziertes Vorhaben. Es gilt, aufzupassen. Pläne wollen gelesen, Entscheidungen getroffen werden. Immer wieder geschieht etwas Unerwartetes. Das kostet Geld. Haben Sie selbst schon einmal gebaut? Na bitte! Aber keine Sorge. Der Bau der Badelandschaft hat selbstverständlich System. Alles läuft in geordneten Wegen. Auf Bauleiter Fricke ist Verlass. Fricke bleibt im Plan.

Und dann ist da ja noch der Aufsichtsrat.

Der Aufsichtsrat, sagt Rödel, ist das höchste Gremium. Die Aufsicht des Aufsichtsrates, ein Lächeln, Rödels Badelandschaftslieblingslächeln erscheint in seinem Gesicht, der Aufsichtsrat selbst ist so etwas wie ein fester Pfeiler des Bauwerkes. Vielleicht sogar sein verlässlichstes Stück. Wir tagen in Monatsfrist. Die Unterlagen sind genau. Wir verfolgen den Bau Schritt für Schritt. Wir vergleichen Daten und Zahlen. Nicht selten bitten wir um zusätzliche Informationen. Wir fragen und lassen nicht nach, bis uns die Geschäftsleitung glaubhaft erklärt hat, dass es vorangeht wie geplant.

Ich habe mich an den Rand der Gruppe zurückgezogen und halte das Gesicht in die Sonne. Ich bin davon überzeugt, dass Rödel die gerade hinter uns liegende Sitzung bereits vollständig vergessen hat. Bald wird es ruhiger. Zwischen den Fragen liegen Pausen. Die Journalisten scheinen zufrieden zu sein. Man steht noch ein wenig beieinander. Rödel lächelt. Das Rödelsche Lächeln ist ein Hit. Frei von Kleingedrucktem und Zeitplänen gibt es Zuversicht und reicht voran.

Vogelgezwitscher.
Die Meise singt.

Wellen, Meere
und ein Anker

Am Abend, auf dem Weg in mein Apartment, leere ich wieder einmal den Briefkasten. In Berlin erhalte ich nur selten Post, der Inhalt meines Faches fliegt unbesehen mit einem geübten Schwung in den großen Korb neben der Haustür. Ich schaue hinterher.

Da lugt sie zwischen einer Pizzawerbung und dem Angebot für Umzüge hervor.

Ich habe gedacht, kein Mensch schreibt heute noch Postkarten. Früher im Urlaub, ja, es geht uns gut, dann zwei Sätze über die Sehenswürdigkeiten und das sonnige Wetter. Die Sehenswürdigkeiten und das sonnige Wetter waren auf der anderen Seite der Karte von den Daheimgebliebenen zu besichtigen. Die Urlaubsgrüße erreichten ihr Ziel oft erst, nachdem die Reise schon lange ihr Ende gefunden hatte.

Vielleicht ist es auch eine Wurfsendung. Ich hole die Karte aus dem Korb. Die Aufnahme zeigt eine Welle. Sie türmt sich grünblau auf und wächst in die Höhe, um sich in der nächsten Sekunde am Strand zu brechen. Der Strand ist gelb. Unten auf dem Bild steht gedruckt: Grüße von der Nordsee. Schnell sehe ich auf die andere Seite. Da steht nichts. Ich stecke die Karte ein und gehe nach oben.

Alles ist in uns aufgeschichtet, die Begegnungen, die Zeit. Alles ist vorhanden, mit einem einzigen Atemzug holen wir die Erinnerungen hervor.

Es braucht nicht mehr als eine Berührung.

Ich steige die Treppe empor und bin sicher, dass Kathrin Knudson die Karte geschickt hat. Mein Besuch brachte sie dazu, wieder an Berlin zu denken. Während der Wanderung im Watt hat sie weitererzählt.

Mit dem Verlust der Wohnung zerstob ihre Kindheit. Mit dem neuen Zimmer kam sie nicht zurecht. Gerade achtzehn, zog sie bei ihren Eltern aus. Der Abschied war schwer, aber die Zeit aufregend. Nach der Wiedervereinigung hatte die Mitte der Stadt Platz. Hinter der Mauer, auf der gefallenen Grenze füllten sich die leeren Häuser und Flächen mit Leben. In dem Keller der Ruine neben der tschechischen Botschaft trank man Caipiroska. Neben dem Bunker in der Reinhardtstraße gab es an jedem Sonntagabend Kabarett und schönsten Gesang. In einer ehemaligen Fabrik boxte Killer Müller aus Heidelberg gegen eine mutierte Riesenmaus. Im Keller eines Restaurants konnten die Gäste tauchen. Eine Galerie stellte zwei Trabanten aus, jede halbe Stunde ließ man einen an. Die Abgase verpesteten den Raum. In den Höfen der Auguststraße wurden Fabeltiere geschmiedet. Technobands spielten auf den Resten eines ersten Stockwerks, während die Menge im Keller tanzte. Unter der Glasplatte einer Bar wanden sich tausend Maden. Jeden Tag tat man frische dazu. In den steinernen Trögen einer unterirdischen Schlachterei schenkte man Gin Tonic aus, eins zu eins. Am Donnerstag ging es in einen Schuppen, der mit Elektrogeräten vollgestopft war, die lautlos flimmerten. Später kam Christo und verhüllte den Reichstag. Kathrin Knudson hat jeden Tag auf dem Rasen gestanden. Eine Freude, das dunkle Gebäude so hell zu sehen.

Die ersten Jahre waren ein Fest, das nicht zu Ende gehen wollte. Trotzdem wurde Kathrin Knudson müde. Das Neue und das Ruhelose wurden ihr fremd. Auch der Liebe begegnete sie nicht. Die Stunde, die nichts braucht, außer sich selbst, blieb aus. Es fühlte sich merkwürdig an, am Abend allein zu Hause zu sein. Sie blickte sich in der Wohnung um. Zum ersten Mal fragte sie sich, was sie hier tat.

Irgendwann wuchs die Sehnsucht auszuschreiten. Stundenlang die Füße voreinander zu werfen, den Kopf leer zu machen. Was würde sie hören, ohne ein fremdes Geräusch?

In dieser Zeit hat Kathrin Knudson in einem Antiquariat eine Ecke mit Büchern über Inseln entdeckt. Sie kaufte alle und begann zu lesen. Geschichten über Schiffbrüchige, die auf weißen, von Palmen gesäumten Südseestränden erwachten. Von Gescheiterten mit weniger Glück, sie klammerten sich an karge Eilande, ein letzter Halt, kaum mehr als nackter Fels und Geröll, die Heimat fremdartiger Vögel. Es gab ein Atoll, das Menschen in Besitz genommen und trotz seiner Schönheit wieder verlassen hatten. Auf einer rauen Insel im Atlantik waren sie geblieben, zehn oder zwanzig an der Zahl. Über Generationen inzestuös ineinander verschoben, verschroben absonderlich, saßen ihre Kinder und Kindeskinder vor den Hütten und sahen über das Meer in Richtung einer Heimat, die sie nur vom Hörensagen kannten, und tranken. Alkohol herzustellen, dachte Kathrin Knudson, erlernt man offenbar überall. Manches Stück Land im Meer war in den Atlanten für Jahrhunderte an falscher Stelle verzeichnet. Eine Geschichte handelte von einem Mann, der ein aufgegebenes Haus in Besitz nahm. In den ersten Monaten, in der Ruhe der Insel hetzten ihn seine Gedanken fast in den Tod. Er wurde krank, fieberte, halluzinierte und hielt doch stand. Er blieb, fand seine Mitte und kehrte nach drei Jahren in seine Heimat zurück. Wenig hatte sich dort geändert, doch für ihn war alles anders.

Das Buch über die Nordsee gefiel Kathrin Knudson sofort. Da gab es Wiesen, Meer und freien Himmel. Die Bewohner machten im Internet einen freundlichen Eindruck. Aufnahmen zeigten Schwärme von Ringelgänsen, Sonnenuntergänge und nur wenige Autos. Stimmte es, dass Theodor Storm die Halligen *schwimmende Träume* genannt hatte? War er dort gewesen? Sie sah auf eine Karte.

Erstaunlich, die Inseln lagen nur wenige Autostunden entfernt. Schon auf der Fahrt hat sie die Namen gemocht; *Bordelum*, *Ockholm* und *Schlüttsiel* purzelten freundlich in ihrem Mund herum. *Nordstrandischmoor, Gröde, Hooge, Oland, Langeneß* und *Südfall*, die *Lorenzwarft*, die *Hanswarft* und die *Backenswarft* kamen hinzu.

Kathrin Knudson setzte über.

Es waren nicht nur die Namen; die Halligen mochte sie auf Anhieb auch. Schon am zweiten Tag hörte sie von dem Gehöft, dessen Bewohner auf das Festland wollten. Eine Warft. Kreuzt das Richtige unseren Weg oder geben wir nur besser acht? Die Zeit in Berlin war ohnehin zu Ende, warum nicht etwas anderes wagen? Warum nicht auf eine Insel? Am nächsten Tag hat sie das Haus angesehen. Bald war der Vertrag gemacht.

Das Meer und das Watt. Dahinter die Hallig. Das auflaufende Wasser, der Priel und Kathrin Knudsons Lachen. Unser Reden und unser Schweigen. Ich denke an jenen Nachmittag, den Rückweg zur Warft, an die klare Luft und die Rufe der Möwen.

Plötzlich kommt mir die Badelandschaft in den Sinn. Ich sitze an meinem Küchentisch und betrachte die Welle. Auch in meinem Kopf beginnen die Dinge, einander zu überlagern. Ziemlich viel Wasser für einen, der weit entfernt von der Küste groß geworden ist. Wie es Kathrin Knudson wohl geht? Ich nehme die Postkarte und klemme sie zwischen Salz und Pfeffer.

Die Zukunft
darf nur versprechen,
wer von ihr träumt

Ich sitze auf meinem Platz und ordne einen Stapel Papier. Es geht wie von selbst. Manchmal, bevor der Tag so richtig beginnt, wenn die Gedanken noch frei sind, denke ich an die Zukunft. Ich gebe zu, es hat vielleicht mit den Begrenzungen meiner Herkunft zu tun, dass ich mich von Zeit zu Zeit immer noch wie ein Kind auf morgen freue. Die Zukunft ist eine Hoffnung, eine Mission, sie ist ein Auftrag, der uns Kraft gibt und Träume. Ein Aufbruch, der heute anfängt und die Gegenwart verändert. Die Zukunft macht unsere Herzen leicht. Ist es nicht so, dass Menschen glücklich sind, wenn sie darüber sprechen, was werden kann? Will nicht jeder beitragen zu einem besseren Leben? Über Jahrtausende haben die Alten an die Zukunft gedacht, an Generationen, die kommen, an die Gemeinschaft und an ihr Land. Die Zukunft ist ein Glücksfall, der es uns erlaubt, unser Wissen und unsere Fertigkeiten einzusetzen für eine bessere Welt. Wir sind einen langen Weg gegangen, warum sollen wir ihn nicht nutzen? Wir haben so vieles gelernt, warum sollen wir es nicht weitergeben an unsere Kinder?

So könnte es sein. Ich sehe mich um. In der Sitzungswoche jagt ein Termin den anderen. Am Wochenende habe ich den

Haushaltsplan gelesen, Montag um fünf Uhr früh ging es los. In Berlin Bürobesprechung, Partei, Fraktion und Arbeitsgruppen, die Ausschüsse, zwei Tage im Plenum. Meine Tasche ist schwer. Der Haushaltsplan ist eine von ungefähr zwölftausend Drucksachen dieser Legislaturperiode und hat mehr als dreitausend Seiten.

Der Plenarsaal füllt sich. Ich bin müde.

Für die Politik ist die Zukunft eine Leiche.

Natürlich sagt kein Politiker, dass die Zukunft eine Leiche sei, aber die Politik spürt nicht, dass die Zukunft in uns entsteht. Wenn man die Zukunft gewinnen will, muss man sie fühlen. Ich denke, dass wir das Gefühl dafür verloren haben, dass wir die Kraft besitzen, der Zukunft ein Gesicht zu geben. Wir besitzen nicht einmal genug Selbstvertrauen, um die Gegenwart zu gestalten. Geschenke, sonst Zuwarten, der Aufbruch wird verschoben. Weil die Welt an allen Ecken zusammenhängt, weil sie sich nicht mehr nach den gewohnten Mustern unter einen Hut bekommen lassen will, verlieren wir den Mut. Auch in Europa. Wie können wir zusammenbleiben und nach welchen Regeln? Wie wollen wir Vielfalt und Freiheit schützen und doch das nötige Maß an Einheit herstellen?

Es wird behauptet, dass Deutschlands Haftung für alle Rettungsschirme plus Protokolle, plus Verabredungen, plus den einen oder anderen Extrazettel, den noch irgendeiner in der Hosentasche hat und vor dem nächsten Besuch einer Reinigung wieder hervorkramt, inzwischen ungefähr 1 000 000 000 000 Euro beträgt.

Wir haben mit einer Politik auf Sicht 1 000 000 000 000 Euro versprochen.

Wir haben den Wohlstand unseres Landes für Jahrzehnte ver-
pfändet und können unseren Kindern nicht einmal erklären,
wie das alles funktionieren soll.

Immer noch streiten wir über die Frage, ob Zypern Geld erhalten soll. Heute früh habe ich gelesen, dass die Banken Zyperns
systemrelevant sind. Systemrelevant ist, wessen Konkurs die
Gemeinschaft mehr kostet als die Rettung. Ein EZB-Direktor
hat geäußert, wenn Zypern pleitegehe, komme die Sorge über
die Umkehrbarkeit des Euro wieder hoch. Immer, wenn wir
Mut brauchen, das ist schon bei den ersten Krediten für Griechenland so gewesen, schüren einige Leute die Angst. Nach
Ansicht der EZB besteht Gefahr für das weltweite Bankensys-
tem, wenn die kleine Insel im Mittelmeer keine weiteren Kredite erhält. Der deutsche Finanzminister hält Zypern bisher
noch nicht für systemrelevant. Ein hoher deutscher EU-Ver-
treter hat den Finanzminister aufgefordert, auch als Vertreter
eines großen Landes zu verstehen, dass jedes Mitglied der Eurozone systemisch relevant sei.

Inzwischen werden erstaunliche Vorschläge zur Beendigung der
europäischen Krise unterbreitet. Es heißt, die Lösung könne
auch darin liegen, den 500-Euro-Schein abzuschaffen. Der
500-Euro-Schein ist im Leben der einfachen Leute unsichtbar.
Er ist das Zahlungsmittel der Schattenwirtschaft. Müssten alle
500-Euro-Scheine eingetauscht werden, könnten während des
Eintauschvorgangs der eine oder andere Sachverhalt am Schalter besprochen und sodann Zusatzeinnahmen der Staaten in
bemerkenswerten Größenordnungen erzielt werden. Der Idee
einer Einziehung aller 500-Euro-Scheine hat der EZB-Chef
entgegengehalten, hochwertige Banknoten spielten eine signi-
fikante Rolle als Mittel zur Rücklage von Werten.

Der zweite Tag im Plenum, ein Redebeitrag nach dem anderen. Die Stunden ziehen sich hin. Ich sinke in meinen Stuhl zurück. Auch ich verschmelze mit dem Mobiliar. Ich blicke über den Gang. Meinsteiner ist inzwischen wie besessen. Meinsteiner hat sich nach vorn gebeugt, er liegt beinahe auf seinen Zetteln. Meinsteiner schreibt. Meinsteiner liest. Meinsteiner zerreißt. Meinsteiner presst eine Hand an den Kopf, hebt an und beginnt wieder zu schreiben. Ich sehe auf Meinsteiners Pult. Ich meine, in seinen Papieren eine Art Ordnung zu erkennen. Was Meinsteiner nicht gefällt, legt er nach links. Zu Bearbeitendes liegt in der Mitte. Rechts, gehütet wie ein Schatz, bewahrt Meinsteiner einige wenige fertige Seiten.

Das Großprojekt,
ein Kinderspiel

Der Bau der Badelandschaft, sagt Straußer, der Badeland-schaftsbau, der Bau der Schwimmhalle, die Badefazilitäten, Blubberblubberbrunnen und Blubberblubberbäder, die klei-nen Pools und Jacuzzis, die Technik, die Umschaufelung des Geländes, der Einbau der Bodenwelle, das vom Gartenbauamt vorgeschlagene, maßstabsgemäße Endmoränenzitat, die Pflan-zerei von Busch und Baum, alles geht an sich so weit gerade, bestimmungsgemäß, gewissermaßen in die richtige Richtung voran. Nach Abstimmung mit Herrn Rödel, Strußer korri-giert sich, nach Abstimmung mit dem Vorsitzenden unseres Aufsichtsrates, Strußer sieht auf Rödel, Rödel nickt würdig, ist unser heutiges Schwerpunktthema deshalb das Eingangstor. Der Aufsichtsrat blickt erst auf Rödel, der nochmals nickt, dann auf Strußer. Strußer nickt auch.

Als wir mit der Planung des Eingangstors angefangen haben, fährt Strußer fort, hatten wir eine Idee.

Strußer erhebt sich und hält ein Blatt Papier in die Luft. Es handelt sich um eine Zeichnung, auf der ein graues Tor zu er-kennen ist, dessen Spitze von zwei Strichmännchen gebildet wird. Die Strichmännchen stehen in etwas Blauem, es sieht aus wie ein Planschbecken.

Ein Planschbecken.

Ich starre auf das Bild. Das ist eine Kinderzeichnung, denke ich spontan. Was macht eine Kinderzeichnung in einer Sitzung, in der es um Millionen geht? Für eine Sekunde geraten die Dinge in meinem Kopf durcheinander. Für eine Sekunde habe ich das Gefühl, dass etwas Wichtiges nicht stimmt. Ich nehme mich zusammen und versuche, Straußers Ausführungen zu folgen.

Eine Idee, sagt Straußer, er blickt auf die Zeichnung, im Grunde ist das keine Idee, das ist eine Erfindung. Eine Erfindung aus Ihrer Mitte. Eine Erfindung aus der Mitte des Aufsichtsrats.

Rödel strahlt.

Ich bin mir jetzt sicher, dass hier etwas Wichtiges nicht stimmt.

So etwas, sagt Straußer schwärmerisch, gibt es sonst nirgendwo. Dass in der Mitte des Aufsichtsrates so eine Erfindung das Licht erblickt.

Obwohl Straußer sich uns zugewandt hat, schließt er seine Augen, als wollte er in Stille danken. Straußer bemerkt nicht, dass Rödel Anstalten macht aufzustehen.

Wie die Badelandschaft an sich, sagt Straußer, während er die Augen wieder öffnet, die gibt es sonst auch nirgendwo. Nicht so, nicht in der Mitte der Stadt.

Ich starre auf das Blatt und erkenne Rödels Initialen neben dem Tor.

Wir bauen, sagt Straußer, das muss man sich mal vorstellen, eine Badelandschaft dort, Straußer strahlt nun ebenfalls, wo sich unsere Gesellschaft über Generationen zu dem entwickelt hat, was sie heute ist. Wo Handel und Handwerk unseren Wohlstand geschaffen haben, wo Regierungsgebäude und Schlösser, Geschäfte ihren Platz hatten.

Sogar Kirchen.

Da bauen wir ein Freizeitvergnügen. Da werden wir baden. In der Mitte der Stadt wollen wir feiern.

Weil wir so leben. Weil wir so sind.

In der Mitte der Stadt, sagt Straußer, da machen wir es uns schön.

Berlin, sagt Straußer plötzlich, das ist Berlin.

Ja, sagt Rödel ergriffen.

Rödel sitzt immer noch so, als wollte er gleich aufstehen. Huse faltet die Hände vor seinem Gesicht.

Die Idee, fährt Straußer mit leichterer Stimme fort, besteht darin, ein mindestens zwanzig Meter hohes Tor zu bauen. Ein Tor mit drei Durchgängen, auf dem zwei Surfer surfen. Zuerst haben wir nicht einmal gewusst, wen wir fragen sollen, wer uns helfen kann, diese Zeichnung, das Werk des Aufsichtsratsvorsitzenden, Wirklichkeit werden zu lassen.

Die Surfer sollen ja keine Skulpturen sein, sagt Straußer, selbstverständlich nicht. Die Surfer sind kein totes Zeug, das da oben nur herumsteht. Die Surfer werden Figuren, die sich irgendwie bewegen! Die Surfer surfen! Wie es sich für Surfer gehört! Und zwar richtig! Authentisch!

Die Surfer surfen irgendwie richtig authentisch, in richtigem Wasser.

Da oben, auf dem mindestens zwanzig Meter hohen Tor.

Der Aufsichtsrat sieht wieder auf die Zeichnung.

Wie wäre es denn, wenn wir einfach echte Menschen nehmen, sagt Huse.

Die klettern da hoch, mit einer Leiter. Was der Queen die Palastwache ist, sind Berlin die Surfer. Und bei jedem Schichtwechsel hält ein Japaner die Leiter.

Ein Japaner? frage ich.

Huse grinst.

Ja, sagt Rödel.

Wieder einmal geht es nicht so recht weiter. Kennt ihr den Film, sagt Huse in die aufkommende Stille, da surft einer in der Eisbachwelle im Englischen Garten, in München. Ungefähr 1960. In der Eisbachwelle! Der steht in einer bunten Hose auf einem fast runden Brett in dem Bach, der hat sich hinter einer Brücke mit einem Seil an einem Stein festgebunden. Der glaubt tatsächlich, er ist auf Hawaii, dass er surft, indem er sich krampfhaft in einem Bach in München an einem Seil festklammert, dass an einem Stein festgebunden ist!

Wir haben, sagt Huse, in Berlin ja sogar ein Hotel mit Tauchlift. In dem Lift fahren Gäste, im Bassin schwimmen Fische.

Der Lift und die Gäste tauchen.

Huse sieht zu Straußer.

Im Grunde, sagt Huse, sind in so einer Lage zwei Surfer doch das Nächste.

Huse faltet wieder seine Hände. Das wirklich Überraschende an Huse sind seine Augen. Sie sind braun und freundlich, aber sie funkeln teuflisch.

Die Fische tauchen auch, sagt Rödel.

Genau genommen, sagt Strußer, surfen die auf dem Eingangstor irgendwie in Wellen.

Spießig
sparen

Es fällt mir schwer, den Rednern zu folgen. Wenn Meinsteiner die Zahlen notieren würde, wäre ich froh. Ich weiß, dass Meinsteiner es nicht tut. Ich weiß zwar nicht, was Meinsteiner seit einigen Wochen schreibt, aber es geht um etwas anderes. Ich spüre, in welchem Zustand sich Meinsteiner befindet. Mit Meinsteiners Hören und Denken verhält es sich ähnlich wie mit dem von ihm getrunkenen Kaffee. Meinsteiner besitzt die Fähigkeit, das Gehörte durch seinen Körper, durch sich selbst hindurch zu leiten und das Gehörte zu gebrauchen. Für die Zeitdauer des Fließens und des Gebrauchens wird das Gehörte zu einem Teil seiner Person. Meinsteiner, der, das gebe ich zu, so aussieht, als wäre mit ihm nicht viel los, ein wenig schläfrig, immerzu zu blass, chamäleonähnlich unscheinbar, gewissermaßen ein Produkt, der Abglanz der von ihm über drei Jahrzehnte beharrlich und klaglos besuchten Sitzungen, dieser äußerlich ganz und gar unscheinbare Meinsteiner ist in Wirklichkeit eine lebendige, eine riesige Transformation. Was Meinsteiner hört, fließt in ihn hinein, es fließt durch ihn hindurch, es läuft auf Bahnen neben Meinsteiners Kaffee und Meinsteiners Blut in Meinsteiners mit einer mindestens dreifachen Infrastruktur versehenem Körper dahin, es wird gefiltert, abgeschmeckt und neu geschüttet. Schließlich strömt das

Gehörte und vorübergehend Vereinnahmte als Buchstabensaft aus Meinsteiners Stift oder mit anderen Bestandteilen Meinsteinerscher Transformationsprozesse aus Meinsteiners Unterleib wieder heraus.

Auch der Stift, ein Füllfederhalter, den Meinsteiner stets bei sich trägt und den er jetzt mit viel Bedacht hervorholt und aufschraubt, als wäre das Schreibgerät ein kleiner Freund, der durch eine ebenso sanfte wie kenntnisreiche Bewegung zur Tat überredet werden will, ist Teil von Meinsteiners Körperlichkeit.

Auch Europa ist eine riesige Transformation.

In den vielen Stunden, die ich auf diesem Stuhl über die Eurokrise nachgedacht habe, ist mir klar geworden: Wie jede Gemeinschaft können wir nur zusammenleben, wenn es Ziele und Regeln gibt, die unser gemeinsamer Maßstab sind. Natürlich, ein Ziel ist nur ein Ziel und eine Regel ist nur eine Regel. Ein Augenzwinkern hier und da, das haben wir von Anfang an gewollt. Was aber ist aus unserem großen europäischen Traum geworden?

In Brüssel kämpft jeder nur noch für die eigene Nation und für sich selbst. Wie das, was man geschickt, aber womöglich fälschlicherweise einen Rettungsschirm genannt hat, genau funktioniert, ist mir nicht wichtig. Auch die Frage, wie viel von dem geliehenen Geld nicht zurückgezahlt wird, ist mir am Ende egal. Worauf es mir ankommt, ist, dass Europa nicht scheitert. Und da habe ich meine Zweifel. Leihe ich einem Nachbarn Geld, der seit Jahren in einem zu großen Haus lebt und sein Leben nicht ändert? Leihe ich ihm Geld, das ich mir selber leihen muss? Zahle ich ihm Öl und Reparaturen, bis meine Kraft, Geld zu leihen, um sein und mein Öl und seine und meine Reparaturen zu bezahlen, nachlässt?

Nicht, dass es mir schwer fällt zu verstehen, wenn andere gut leben wollen. Auch ich kenne Begehrlichkeiten. Wer würde nie durch die Straßen schlendern und sich umsehen? Wer hätte nie davon geträumt zu kaufen, was das Auge begehrt? Aber ich halte mich zurück. Ich stehe vor dem Schaufenster, ich trete an die Scheibe und bewundere die Auslage. Dann wende ich mich ab.

Ich weiß nicht, wohin die Reise geht, und versuche, die Balance zu halten. Für mich ist es wichtig, dass für alle der gleiche Maßstab gilt. Ich achte darauf, dass mein Lebensstil und meine finanziellen Möglichkeiten miteinander in Einklang stehen. Seitdem ich arbeite, habe ich in jedem Jahr einen kleinen Überschuss erwirtschaftet. Ich führe kein Buch. Am 31. Dezember setze ich mich hin und rechne. Es dauert selten länger als eine Stunde. Ich überschlage Einnahmen und Ausgaben, bilde Gewichte und zähle zusammen. Das ist ein kleines Zeremoniell, das mir immer gefallen hat. Dass ich etwas zur Seite legen konnte, gab mir stets ein gutes Gefühl. Es hat mich beruhigt, ein paar Cent zu besitzen für das Unvorhergesehene. Was ist mein Sparkonto noch wert, wenn keine Zinsen mehr gezahlt werden und der Staat bis ins Unermessliche haftet? Von wem wird die Regierung es nehmen, wenn die Einlösung ihrer Versprechen eingefordert wird?

Ich sehe zu Meinsteiner hinüber. Ich bin überrascht, er erwidert meinen Blick sofort. Meinsteiner sieht mich an, denkt einen Augenblick nach und greift auf sein Pult. Meinsteiner hält mir einen Zettel entgegen und schneidet eine Grimasse. Er hat etwas gemalt, das aussieht wie ein Ei. Es geht so schnell, dass ich nicht genau erkennen kann, was es ist. Meinsteiner wedelt mit dem Zettel in der Luft, legt ihn vor sich ab, greift nach seinem Stift und setzt ostentativ einen Punkt. Meinsteiner legt den Zettel rechts neben sich auf den Haufen, steckt den Stift ein und grinst.

Ich lasse mich in meinen Stuhl sinken und blicke wieder nach vorn. Ich fühle mich schlecht. Meinsteiners Grinsen gefällt mir nicht. In seinem sonst so beherrschten Gesicht wirkt es aufgesetzt. Das ist nicht der Meinsteiner, den ich kenne. Wenn Meinsteiner nicht mehr Meinsteiner ist, gerät die Welt aus den Fugen.

Als die Probleme wachsen,
geht die Vernunft auf Reisen

Die Sache mit dem Eingangstor kommt nicht so recht voran.
Für mein Gefühl sagt Strauß zu oft »irgendwie«. Nun blickt
er zu Boden. Strauß sieht so aus, als wollte er sich sammeln.
Das Wasser, also das, was da oben so schäumt, was über-
schäumt, wenn die zwei Surfer auf den Wellen surfen, sagt
Strauß, soll an den Säulen herabfließen. Dazu kommen noch
das Surfgeräusch und das Rauschen des Meeres.
In Berlin ist irgendwie alles anders, sagt Frau Meier-Feinspitz.
Strauß beachtet sie nicht und wedelt mit der Zeichnung.
Das war, sagt er, die Idee. Und das, Strauß tritt vor zwei
große, an einer Wand befestigte Computersimulationen, ha-
ben wir aus der Idee gemacht.
Der Aufsichtsrat blickt ihn erwartungsvoll an.
Die Zeichnungen zeigen zwei unterschiedliche Tore.
Modell eins, sagt Strauß, erinnert uns an das Markttor von
Milet. Nicht ganz die Dimension, zugegeben, aber sehen Sie
mal, die prunkvolle gefächerte Fassade!
Dazu die Balkone und Stockwerke!
Kunst, ruft Strauß und hebt beide Hände, Kunst ist das!
Und ein Zitat, sagt Strauß stolz, ein Zitat großer Zeiten ist
es auch.
Das Pergamonmuseum besuche ich häufig. Die Errichtung des

Markttors von Milet wird einem Besuch des Kaisers Hadrian im Jahr 129 zugeschrieben. Ich sehe genauer hin.

Tatsächlich, eine gewisse Ähnlichkeit. Aber was ist das? Aus einem mir unerklärlichen Grund sitzt in jedem Stockwerk ein Drache.

Die Drachen spucken rotes Feuer.

Straußer tritt vor die andere Zeichnung. Modell zwei hat Anklänge an die Akropolis. Die weltberühmte Akropolis! Die Wiege der Demokratie! In Griechenland.

Rödel nickt.

Griechenland und Berlin, das passt.

Unsere Badelandschaft, sagt Rödel würdevoll, verbindet Griechenland und Berlin. Griechenland und Berlin haben eine Badelandschaftsfreundschaft, die bleibt.

Rödel hält sich eine Hand vor den Mund. Er zwinkert mir zu. Ostrowski starrt ungläubig.

Straußer freut sich. Dorische Säulen, sagt er und zeigt auf die Simulation, sehen Sie die Kapitelle, dazu ein wenig vom Brandenburger Tor.

Alle starren auf die Säulen, nur Huse nicht. Wahrscheinlich überlegt Huse, warum er in Milet kein Hotel besitzt. Huse besitzt ein riesiges Hotel unweit des Pergamonmuseums. Huse ist wirklich ein Idiot. Jetzt malt er auf der Rückseite der Tagesordnung. Ich schiele auf das Blatt.

Ein Drache. Die zweite Kinderzeichnung.

Mir ist ein wenig schwindelig.

Gleichgültig, welches Tor wir nehmen, sagt Straußer, wir müssen auch an die Technik denken.

Wir brauchen dort oben auf dem Tor keine Nordseewellen, keine Südseewellen und auch keine Ostseewellen, Straußer sieht sich vorsichtig um, aber Wellen, Wellen brauchen wir schon.

Rödel nickt.

Genau genommen brauchen wir etwas, das das Wasser da oben hinbringt, einen Wasserkreislauf, zwanzig Meter in die Höhe und zurück. Und wir brauchen eine Anlage, die Wellen macht. Und zwar immerzu.

Es gibt eine Anlage, die auf Eingangstoren Wellen für Surfer macht?, fragt Ostrowski verdutzt.

Nein, sagt Straußer.

Na, sagt Rödel, nun machen Sie mal keine Welle. Es kann ja wohl nicht so schwer sein, etwas zu bauen, das Wellen macht. Ich meine, wir fliegen auf den Mond, wir haben Sonden auf dem Mars, aber wir können nicht einmal ein paar Wellen auf einem ganz normalen Eingangstor machen? Das will ich nicht glauben. Das erzählen Sie mal den Amerikanern! Das verraten Sie mal den Russen! Die sind doch morgen wieder hier! Wellen macht die Natur doch quasi von selbst.

Von selbst, aber auf dem Tor? Seit wann, frage ich mich, mir ist immer noch schwindelig, haben wir Sonden auf dem Mars?

Das zweite, sagt Ostrowski, das ist das Brandenburger Tor.

Das sieht tatsächlich haargenau so aus wie das Brandenburger Tor, bestätigt Frau Meier-Feinspitz.

Jetzt guckt Strußer ein wenig unsicher. Ist bei dem Ausdruck der Simulationen etwas durcheinandergeraten? Der Aufsichtsrat starrt auf die beiden Modelle.

Kann ich die Erfindung noch einmal sehen, fragt Rödel.

Strußer hält die Zeichnung ein zweites Mal in die Luft. Alle blicken auf das kleine von Rödel signierte Blatt.

Mit Nordseewellen, Südseewellen und Ostseewellen wäre eigentlich auch cool, sagt Huse in das Schweigen hinein.

Das Tor wird natürlich geprüft, sagt Straußer, von TÜV und Feuerwehr und von der Bauaufsicht. Und von allen Behörden, die sonst noch Interesse haben.

Der Aufsichtsrat schweigt.

Gut, sagt Straußer, ich schlage vor, wir bauen erst einmal los. Wir fangen erst einmal an. Ändern können wir immer noch.

Rödel denkt nach. Offenbar hat er keinen besseren Vorschlag. Rödel nickt.

Ich überlege, ob wir beschlossen haben, welches Tor nun gebaut werden soll. Aus einem unerfindlichen Grund ist mir die Antwort egal.

Im Konferenzsaal ist es still. Straußer nutzt den Moment.

In diesem Zusammenhang gibt es noch ein kleines anderes Thema, sagt Straußer.

Gern, sagt Rödel erleichtert.

Wir haben, sagt Straußer, ein Problem mit den Rohren im Garten. Wenn wir das Becken für die Heißdüsenmassage mit dem Becken für die Kaltdüsenmassage tauschen würden und außerdem den zweiten Whirlpool ein wenig nach rechts außen versetzen könnten, dann wäre alles gut.

Wenn wir den zweiten Whirlpool nach rechts versetzen, sieht das doch furchtbar aus, sagt Rödel. Dann, sagt Rödel eifrig, ihm steckt wohl das Eingangstor noch in den Knochen, er will nun Führungsstärke zeigen, müssten wir den Ausgang aus der Schwimmbadhalle auf die Terrasse ein wenig umbauen und die Freitreppe und die Wege einen Meter verschieben.

Nach rechts. Oder nach links.

Kein Problem, sagt Straußer, das ist ja mehr oder weniger alles nur Kies.

Wir sind, sagt Strußer, an der Stelle sowieso etwas spät unterwegs.

Wir brauchen keinen Umbau, wir brauchen jetzt einen Freeze, sagt Ostrowski. Das braucht man immer. Das kennt jeder, der schon einmal gebaut hat. Ohne Freeze kostet das Haus ein Vermögen. Keiner ändert hier mehr etwas. Wir müssen jetzt bauen, wie es verabredet ist.

Ostrowski sieht sich entschlossen um.

Ich blicke zu Boden, bevor er mich erwischt. Ich habe noch nie etwas gebaut.

Einen Freeze? Wir errichten, meint Rödel, doch keine Kühlanlage.

Ich blicke wieder auf. Wir brauchen einen Berater. Einen externen Experten, der uns erklärt, wie wir den Bau zu einem guten Ende bringen.

Strußer, fragt Rödel, werden wir fertig?

Fertig, sagt Strußer.

Versprochen?

Versprochen.

Rechtzeitig? frage ich.

Huse grinst.

Frau Meier-Feinspitz macht sich eine Notiz.

Die Sitzung, sagt Rödel, ist geschlossen.

Dr. Blasius
rettet die Welt

Dr. Blasius holt Luft. Sechs Wochen sind wir jetzt an Bord. Sechs Wochen harter, gemeinsamer Arbeit. Sechs Wochen für ein einzigartiges Projekt, sechs Wochen für die Badelandschaft! Erlauben Sie, dass ich Ihnen zuerst danke. Ihnen danke für Ihr Vertrauen, Ihnen danke für Ihre Offenheit! Es ist nicht nur ein großartiges Thema, das wir hier zusammen voranbringen. Es ist auch ein großartiges Team. Ein großartiges Team, das Sie da haben, das da kämpft, das sich die Badelandschaft zur eigenen Sache gemacht hat. Zur eigenen Sache macht – und zwar vierundzwanzig Stunden am Tag! Wir sind froh darüber, dass wir Sie bei dieser Herausforderung, der Sie sich zum Wohle dieser Stadt stellen, unterstützen dürfen.
Dr. Blasius macht eine Pause, er holt wieder Luft und sieht auf Rödel. Rödel blickt im Kreis herum und nickt.
Ich möchte Ihnen nun zuerst, fährt Dr. Blasius fort, in einer *Management Summary* die Ergebnisse unserer Arbeit präsentieren.

So wie Dr. Blasius *Management Summary* sagt, klingt es britisch und nach viel Erfahrung obendrein. Er lächelt einer Kollegin zu, die am Ende des ovalen Tisches sitzt. Die Kollegin nimmt das Lächeln mit einer leichten Senkung ihres Kopfes entgegen, sie gibt es mit einem Augenaufschlag an Rödel weiter, wartet, bis das Lächeln bei Rödel angekommen ist, und tippt mit einem gespreizten Finger spitz auf einige Tasten ihres Computers. Auf der Leinwand erscheint ein Symbol mit blauer Schrift und einem roten Punkt; *am besten wissen. consultants*. Dr. Blasius nickt freundlich, zuerst in Richtung seines Logos, dann in Richtung seiner Kollegin.

Kommen wir, sagt Dr. Blasius, also zur Aufgabenstellung. Es geht um den Bau der Badelandschaft, der phantastischen Badelandschaft seitwärts des Schlossplatzes im Herzen Berlins. Eine Badelandschaft von internationalem Rang. Eine Badelandschaft, wie es noch keine gibt, nicht in Deutschland und nirgendwo sonst.

Auf der Leinwand erscheint die wohlbekannte Zeichnung. Der Aufsichtsrat, Dr. Blasius und seine Kollegin blicken auf die prächtige, von achtundvierzig Säulen getragene Halle des Schwimmbades, bekrönt mit einem halb geöffneten Dach aus gelbem Glas, darunter das Becken mit blauem Grund und der eleganten Andeutung der Bahnen. In dem Becken funkelt still und erwartungsvoll das Wasser. Auf den Eingangstoren der Badelandschaft surfen Surfer.

Dr. Blasius sieht Rödel an, ohne ein Wort zu sagen. Rödels Augen gleiten über die Zeichnung. Sie wandern durch das Eingangstor in die Schwimmbadhalle hinein und auf die Terrasse hinaus, sie wandern über die Freitreppe zur Liegewiese hinab. Sie nehmen auf einer der Bänke im Schatten der Bäume Platz. Da ruhen sie sich aus.

Rödels Augen erheben sich und wandern wieder zurück.

Dr. Blasius wartet, bis Rödel ein zweites Mal durch das Tor geschritten und wieder im Sitzungsraum angekommen ist.

Zuerst, sagt er dann, haben wir selbstverständlich eine Bestandsaufnahme durchgeführt. Eine *State-of-the art-Bestandsaufnahme*. Ohne eine *State-of-the-art-Bestandsaufnahme*, Dr. Blasius Aussprache verleiht dem Sitzungsraum erneut Autorität und internationale Weite, gibt es keinen *State-of-the-art-Plan*. Zwar haben Sie bereits einen Plan. Einen Plan allerdings, der eventuell zu diskutieren ist.

Dr. Blasius sieht kurz zu Boden, er scheint einem Gedanken nachzugehen, er probiert im Kopf einen Satz. Dann hebt er den Blick wieder und winkt ab.

Zu dem alten Plan kommen wir später.

Dr. Blasius holt wieder Schwung und strahlt den Aufsichtsrat an. Für die Bestandsaufnahme haben wir selbstverständlich unsere besten Bauexperten hinzugezogen. Stärke für Gewerke! Unsere besten Bauexperten sind Fachleute aus allen Bereichen! Das sind Spezialisten, die kennen sich aus! Das sind Kollegen und Kolleginnen, die haben den gelben Helm neben dem Wecker auf dem Nachttisch stehen!

Im Grunde, sagt Dr. Blasius mit lauter Stimme, sind die Kollegen und Kolleginnen sogar noch mehr als Spezialisten. Das sind selbst fast schon Bauleute. Das sind, ruft Dr. Blasius, nun voller Begeisterung, Bauleute, die mit Hammer und Sichel groß geworden sind!

Hammer und Sichel.

Dr. Blasius spürt, dass ihm die letzte Bemerkung irgendwie missglückt ist. Dr. Blasius sieht sich schnell um. Der Aufsichtsrat scheint nichts bemerkt zu haben.

Die Bestandsaufnahme, sagt Dr. Blasius nun wieder ruhig, hat Folgendes ergeben: Das Freimachen des Grundstücks, der Aushub der Baugrube, die Gründungsarbeiten, das alles verlief völlig problemlos. Trotz der fundamentalen Fundamentlasten und des hoch anstehenden Grundwasserspiegels konnte auch das Verlegen von Bewehrungsstahl zeitgerecht realisiert werden. Die Erdarbeiten, das Verlegen der Grundleitungen, die Versenkung der Bodenplatte, den Rohbau des Kellers sowie den Rohbau der Geschosse und dies und das und alles, was dazugehört, haben Sie ordnungsgemäß durchgeführt.

Rödel hebt den Kopf und sieht Dr. Blasius überrascht an.

Dr. Blasius bemerkt Rödels Blick, er hält ihn für Zustimmung und legt noch mehr Begeisterung in seine Stimme. Die Zimmerarbeiten und die Holzbauarbeiten, alles ist gut gelaufen. Pfetten und Sparren und Dichtungsbahnen, tadellos! Oder nehmen wir zum Beispiel das Einlatten. Trauflatte, Firstlatte, die ganze Pfanne, das war ein ordentlicher Aufschlag, den Sie da geliefert haben. Sie haben, möchte ich sagen, wenn Sie mir an dieser Stelle einen, nur einen einzigen, recht persönlichen Scherz erlauben, Dr. Blasius beugt sich nach vorn und spricht mit vertraulicher Stimme, Sie haben gelattet, als wäre morgen der letzte Tag.

Dr. Blasius macht eine Pause. Er sieht sich erwartungsvoll am Tisch um. Zu seiner Überraschung vermittelt der Aufsichtsrat einen eher irritierten Eindruck. Niemand lacht. Nur in Straußers Augen, er sitzt ganz außen neben Frau Meier-Feinspitz, ist ein kurzes Aufblitzen zu erkennen. Dr. Blasius ist nun selbst irritiert. Dr. Blasius sieht sich nämlich insgeheim als Experten in Sachen Scherze. Tatsächlich ist nach seiner Einschätzung das Scherzexpertentum für sein eigenes Gewerk, für den Erfolg seiner Beratung *am besten wissen. consultants* sogar weitaus wichtiger als das gerade von ihm so gelobte Bauexpertentum. Eigentlich, das ist die Auffassung von Dr. Blasius, geht es weniger darum, die Leute zu beraten als sie zu beglücken. Wer vermag schon zu sagen, was richtig ist und was falsch? Da ist es doch viel besser, Glück zu verschenken. Dr. Blasius verschenkt Glück mit Leidenschaft. Und da gibt es noch eine zweite Seite. Dr. Blasius freut es auch für sein eigenes Leben, dass ihm die Sache mit dem Glück damals eingefallen ist. Denn das Verschenken von Glück bringt ihm seit Jahren Geld im Übermaß. Er möchte beinahe sagen, in Eimern.

Dr. Blasius nickt. Zurück zur Sache.

Er sieht auf die Zeichnung der Badelandschaft. Sieht nett aus. Teuer. Bauen, nun ja, irgendwie kriegt man die Klötze schon übereinander. Hier drinnen, denkt Dr. Blasius, hat ohnehin keiner eine Ahnung, was da draußen los ist. Und das ist auch gut so. Denn er selbst hat am allerwenigsten Ahnung davon, was da draußen geschieht. Er hasst nämlich Schmutz und Krach, Dr. Blasius ist in seinem ganzen Leben noch kein einziges Mal auf einer Baustelle gewesen.

Dr. Blasius konzentriert sich. Auf das Glück kommt es an. Auf die Sitzung kommt es an. Niemand kann so scherzen wie er, der schon so oft mit einem geradezu genialen, einem bald legendären Sitzungsscherz das meterdicke Eis am Tisch gebrochen hat. Heute noch nicht. Dr. Blasius sieht sich um.

O.K., sagt er in die Stille hinein, das mit dem letzten Tag sollte ein *Joke* sein. Das versuche ich später noch mal. Aber nur noch einmal, versprochen.

Joke klingt wieder britisch. Dr. Blasius grinst schelmisch.

Ich glaube, sagt Rödel, ich habe ein Déjà-vu.

Auch Rödel bedient sich der internationalen Ausdrucksweise. Das ist womöglich ein Zeichen. So wie Rödel Déjà-vu sagt, klingt es zwar nicht unbedingt französisch, aber so, als wäre er unzufrieden. Dr. Blasius blickt nachdenklich auf den Aufsichtsratsvorsitzenden.

Nach der Bestandsaufnahme, sagt er vorsichtig, kommen wir zur Herausforderung. Die Herausforderung ist nämlich die Zeit.

Ich sehe zu Straußer hinüber. Strußer nickt. Ich glaube, Strußer geht es nicht darum, dass es mit dem Bau vorangeht. Strußer kommt es darauf an, Sitzungen ohne Ärger zu überstehen. Ich finde, so wie Strußer dasitzt, ist er ein Wurm. Wenn Strußer vorn steht und redet, sieht es so aus, als wäre er ein Experte. Wenn Strußer mit Worten und Charts um sich wirft, habe ich das Gefühl, nicht hinterherzukommen. Wenn ihm aber alles aus der Hand genommen wurde und er verschlagen guckt, sieht jeder, dass Strußer nichts ist ohne Charts und fremde Begriffe. Nichts als ein Wichtigtuer, der kriecht und sich schlängelt.

Während ich noch über Strußer nachdenke, gibt Dr. Blasius seiner Kollegin erneut ein Zeichen.

Ich möchte Ihnen, sagt Dr. Blasius, jetzt gern zeigen, wo wir stehen. Wir legen gleich die wesentlichen Zeitpläne hintereinander. Zunächst aber zur Hierarchie.

Der Aufsichtsrat blickt auf die Leinwand. Das Chart zeigt vier Striche.

Es ist ganz einfach.
Rot kommt vor Blau.
Blau vor Grün.
Und Grün vor Gelb.

Wenn Rot nicht fertig ist, kann Blau nicht anfangen, an Grün und Gelb gar nicht zu denken. Wenn Blau nicht fertig ist, ist Rot fertig, aber Grün fängt nicht an, auch nicht Gelb. Geht Grün, ist Rot gegangen, Blau auch. Gelb ist offen, geht aber vielleicht. Wenn alles geht außer Gelb – Rot und Blau und Grün sind fertig –, ist das zwar gut, aber nicht gut genug.

Am Ende, sagt Dr. Blasius versöhnlich und breitet die Arme aus, kommt es darauf an, dass alles zusammen klappt.

Dr. Blasius sieht auf Rödel. Rödel weicht seinem Blick aus.

Was Sie nicht sagen, sagt Huse.

Ostrowski legt die Hände hinter den Kopf und fängt an zu wippen.

Obwohl Frau Meier-Feinspitz nicht der Typ ist, der auf Stühlen schaukelt, nickt sie Ostrowski freundlich zu.

Dr. Blasius gibt der Kollegin ein Zeichen. Also, sagt er, jetzt wollen wir uns das Ganze mal konkret ansehen. Auf der Leinwand erscheinen in schneller Folge Charts, die über und über mit roten, blauen, grünen und gelben Linien bedeckt sind.

Nicht so eilig, sagt Dr. Blasius zu seiner Kollegin. Die Charts laufen noch einmal über die Leinwand, dieses Mal in etwas niedrigerer Geschwindigkeit.

Sehen Sie hier, ruft Dr. Blasius und zeigt auf einem der Charts auf eine Linie, sehen Sie, genau hier liegt das Problem! Rot ist fertig! Blau ist noch dran. Grün ist wohl eingeschlafen, und Gelb fängt schon an!

Dr. Blasius zeigt auf Anfang und Ende einer blauen Linie, dann springt seine Hand auf eine rote, dann zu einer grünen und einer gelben und wieder zurück.

Der Aufsichtsrat starrt auf das Chart.

Oder sehen Sie dort, ruft Dr. Blasius, und zeigt auf einem anderen Chart auf eine andere Linie, das kann doch gar nicht klappen! Rot fehlt, Blau ist blau, schafft aber nichts, Grün und Gelb, die rackern ohne Sinn und Verstand!

Da fehlt ein Teil des Fundaments. Jede Wand, die Grün und Gelb da bauen, muss später wieder abgerissen werden!

Die Zeitpläne sind zum zweiten Mal durchgelaufen. Dr. Blasius blickt sich um. Rödel rutscht auf seinem Stuhl hin und her. Vielleicht missfällt ihm das Fehlen des Fundaments. Ich kann mich Rödels Bewegung nicht entziehen und beginne, ebenfalls zu rutschen. Ostrowski wippt immer noch, Frau Meier-Feinspitz wartet. Huse hat die Augen geschlossen. Huse hat seinen Mund verzogen, so, als ob er träumt.

Dr. Blasius ist unsicher. Was haben Frau Meier-Feinspitz und die Herren verstanden? Hat er den Aufsichtsrat dort, wo er ihn haben will?

Dr. Blasius legt lieber nach. Machen wir, ruft er, zur Sicherheit einen Cross-Check. Einen *Walkthrough*! Lassen Sie uns gemeinsam sehen, ob ein *Systembreak* mit Sicherheit ausgeschlossen werden kann. Es geht so: Verfolgen Sie einfach eine der Linien vom Anfang bis zum Ende, sehen Sie auf die Linie, bis sie auf die nächste übergeht, die auf die nächste, die auf die nächste und so weiter und so weiter! Das machen wir, bis Sie den Zeitpunkt der Eröffnung entdecken!

Ich höre auf zu rutschen.

Dr. Blasius wartet auf ein Zeichen von Rödel.

Rödel nickt. Der Aufsichtsrat konzentriert sich erneut auf die Leinwand.

Die Zeitpläne werden zum dritten Mal abgespult. Schneller, sagt Dr. Blasius zu der Kollegin hinter dem Computer. Dieses Mal sieht es fast aus wie ein Film. Wenn man, sagt Dr. Blasius, während die Zeichnungen hinter ihm lautlos über die Leinwand huschen, den ganzen Bau in Ebenen denkt, dann geht das von $x-2$ bis $x2$, oder, denken wir vom Keller her, von $n-1$ bis $n1$. Digital betrachtet $n1$, no. Soll/Ist und aktuelle Einschätzung.

Also, sagt Dr. Blasius, egal wie man das Ganze betrachtet, einfach ist es nicht.

Der Eröffnungszeitpunkt ist nirgends zu sehen.

Was bedeutet, fragt Frau Meier-Feinspitz mit ihrer eher unscheinbaren, aber genauen Stimme, *Hochfahren des Reaktors?*

Hochfahren des Reaktors?, fragt Dr. Blasius.

Wo steht das?

Da, sagt Frau Meier-Feinspitz und zeigt auf die Leinwand.

Alle starren auf die klein gedruckten Worte am Ende der letzten Linie. Tatsächlich. Da steht es. Hochfahren des Reaktors.

Der Reaktor, sagt Dr. Blasius langsam, der ist an dieser Stelle vielleicht nicht zwingend. Das Hochfahren des Reaktors ist uns womöglich ein wenig durchgerutscht.

Wie, durchgerutscht, fragt Rödel.

Nun, sagt Dr. Blasius und wendet sich fragend an seine Kollegin.

Die Kollegin verbirgt ihren Kopf so gut es geht hinter dem Bildschirm des Computers.

Wir haben, sagt sie, den Bau des Schwimmbades selbstverständlich auch mit dem Bau eines Atomkraftwerkes verglichen.

Dr. Blasius findet vieles selbstverständlich, den Reaktor an dieser Stelle aber nicht.

Ein Atomkraftwerk, wiederholt er ungläubig.

Wir steigen aus der Atomkraft aus, sagt Rödel mit fester Stimme.

Ja, sage ich.

Selbstverständlich, sagt Dr. Blasius.

Für einen Augenblick sagt keiner ein Wort. In einem unbeobachteten Moment tippt die Beraterin auf eine Taste. Die Zeitpläne verschwinden. *am besten wissen. consultants.* Wir dan-

168

ken für Ihre Aufmerksamkeit, steht da nun. Es ist uns natürlich klar, worum es geht, sagt Dr. Blasius mit versöhnlicher Stimme. Es ist uns klar, dass wir erfolgreich sein müssen. Es ist uns klar, dass wir gemeinsam erfolgreich sein werden. Dennoch denken wir, dass Sie das Thema in einem gewissen Umfang noch einmal, also, von vorn aufrollen könnten. Müssen. Von vorn. Erst planen, dann bauen. Das ist das A und O. Wenn ich das so sagen darf.

Dr. Blasius blickt den Aufsichtsrat an.

Werden wir fertig, fragt Rödel.

Wir werden fertig, sagt Straußer.

Versprochen?

Versprochen.

Dr. Blasius scheint erleichtert, dass Straußer geantwortet hat.

Alles zu seiner Zeit, sagt er zu Rödel gewandt. Rödel nickt.

Die Sitzung, sagt Rödel, ist geschlossen.

Ein leerer Koffer
und das Glück

Nach meinem Gefühl scheint die Sonne seit der Finanzkrise in Deutschland seltener als zuvor. Ich will nicht unbedingt behaupten, dass zwischen der Finanzkrise und der Anzahl der Sonnenstunden ein direkter Zusammenhang besteht, aber merkwürdig ist die Sache schon. Ich glaube, die Sonne ist mit dem vielen Geld in den Süden gereist.

Das Verständnis der Deutschen für Zahlungen an Zypern nimmt weiter ab. Nach einem Gutachten der Europäischen Zentralbank bilden wir weniger Hauseigentum als die Zyprer und unsere meisten anderen europäischen Nachbarn. Außerdem verdienen wir schlechter, wir arbeiten mehr, wir sind seltener krank, wir haben weniger Urlaub und gehen später in Rente. Das klingt, als wären wir nicht sonderlich geschickt. Deutschland geht es im europäischen Vergleich gut, weil wir uns um unser Land kümmern. Unsere südlichen Nachbarn sind der Auffassung, dass die Deutschen so viel arbeiten, weil sie so wenig vom Leben verstehen. Die Menschen sitzen in ihren Gärten, schneiden Tomaten und trinken Wein. Manchmal zwinkern sie sich in ihrer südeuropäischen Frührente, ihrer zweiten Lebenshälfte, lustig zu, stoßen mit dem Wein an, essen die prallen Tomaten und lachen. Von der Sonne gar nicht zu reden. Wahrscheinlich fühlt sich die Sonne bei Leuten wohler, die sich mehr Zeit für sie nehmen.

In meiner Kindheit reisten wir in jedem Sommer nach Italien. Meine Eltern hatten ihre Herzen an ein Gehöft auf einem Hügel verloren, von dem aus man auf den Arno herab sah. In dem hinteren Teil des Gebäudes wohnte ein altes Bauernehepaar. Das Haus war nicht groß, aber der Garten riesig. Die Terrasse erstreckte sich in Stufen über drei Plateaus den Hang hinab. Am Rande der Treppen und neben dem Hauseingang standen riesige Vasen aus Ton. Risse, die über die Zeit entstanden waren, hatte man so geschickt, als wäre es ein Faden, mit Draht geflickt. Einige Drähte wurden ihrerseits später durch neue Drähte ersetzt.

Während unserer ersten Fahrt musste ich mich, kurz bevor wir den Brenner erreichten, übergeben. Das Erbrochene drang so tief in die Ritzen unseres Wagens, dass mein Vater sich nicht anders zu helfen wusste, als das Auto im nächsten Frühling mit geöffneten Fenstern zu verkaufen. Seither bekam ich zur Abfahrt stets eine kleine Tüte in die Hand gedrückt. Unterwegs fragte mein Vater mit einem besorgten Blick in den Rückspiegel immer wieder, ob die Tüte griffbereit sei. Die Tüte wurde auf jeder Fahrt gebraucht, wobei offen blieb, ob es ihre dauernde Erwähnung, ihr Anblick oder die Serpentinen gewesen sind, die den Brechreiz auslösten. Trotzdem habe ich mich das ganze Jahr auf die Reise nach Italien gefreut.

Meine Eltern waren glücklich und ich war es auch. Kaum lag die Grenze hinter uns, hielten wir, um Espresso zu trinken. Einen richtigen Espresso, wie meine Mutter sagte, und mein Vater nickte. Wenn die Tassen, deren kleine Henkel sie nur ungeschickt zu umfassen vermochten, vor ihnen standen, strahlten ihre beiden Gesichter. Ich sog ihren Anblick und den wunderbaren Geruch, der aus den Tassen stieg, in mich hinein.

Wenn wir das Haus über dem Arno erreichten, saßen die beiden Alten auf zwei klapprigen Stühlen neben einer der geflickten Vasen am Eingang. Ich weiß nicht, wie lange schon. Ich weiß auch nicht, ob sie dort saßen und auf uns warteten. Vielleicht waren die Stühle für diese Stunde ihr Platz. Ich liebe den langen Atem des Lebens in südlichen Ländern. Die Alten lächelten so warmherzig als gehörten wir zur Familie. Sie erhoben sich mühsam und sagten Worte, die wir nicht verstanden. Wir schüttelten ihre Hände und sagten Worte, die sie nicht verstanden. Alles war gut. Der alte Mann bestand darauf, uns beim Auspacken zu helfen, obwohl es ihm schwer fiel, und er beim Gehen humpelte.

Bald wussten wir Bescheid.

Zu Hause packte meine Mutter einen Koffer, der war groß und blieb halb leer.

Wo ist der Koffer für Fernando, rief Vater, wenn er vor der Abfahrt die Sachen verlud.

Ich muss mich beherrschen, um nicht sehr traurig oder wütend zu sein. Wenn sich Europa nicht bald stabilisiert, wenn die schwachen Länder nicht bald beginnen, alte Regime und Misswirtschaft schneller und entschlossener abzuwerfen, dann ist es mit dem Euro vorbei. Ich sitze in einem Restaurant und blicke aus dem Fenster. Trotz der Morgenstunde zieht draußen ein dichter Touristenstrom vorüber. Wieder einmal ist die Mitte Berlins mit Baukränen und Baucontainern vollgestellt. Unter den Linden wird, nur einen Katzensprung entfernt von bereits bestehenden Halten, an einer der kürzesten U-Bahn-Linien der Welt gebaut. Die Kosten für die wenigen Kilometer sollen mindestens 650 000 000 Euro betragen. Gerade wurde bekannt, dass sich die Inbetriebnahme auf voraussichtlich

2020 verschiebt. Der hohe Grundwasserspiegel bereitet Probleme. Berlin ist auf Sand und Wasser gebaut. Unter dem Tunnel fließen Ströme, oben drüber hebt sich die Fahrbahn.

Der Verkehr in der Stadtmitte ist wieder einmal zusammengebrochen.

Die Wolkendecke reißt auf.

Sonnenschein.

Big, mindestens big

Zuerst einmal, sagt Rödel, brauchen wir Blechbläser. Blechbläser, dann Holzbläser. Eine Kapelle, eine richtig große Kapelle, die unter den Surfern über dem Eingang während der Eröffnung spielt und von dem Geräusch des Surfens und dem Rauschen der Wellen begleitet wird.

Eigentlich, sagt Rödel, brauchen wir keine Kapelle, sondern eine Band. Eine richtige Big Band, mindestens dreißig Mann. Die spielt das ganze Programm hoch und runter und wieder zurück. So in Richtung Bundeswehr. Bundeswehrsoldaten, das ist es, Bundeswehrsoldaten und Bundeswehrsoldatinnen, die brauchen wir. Natürlich nicht in Uniform. Natürlich spielen die nicht in Uniform, sondern in Badehose! Badehosen für die Badelandschaft! Die müssen doch einen Dress für den Kampfeinsatz im Wasser besitzen. Bei den ganzen Krisenherden, in denen wir Gewehr bei Fuß stehen, da wird es ja wohl irgendetwas Spezielles geben, das die bei der Bundeswehr anziehen, wenn es da draußen einmal richtig nass wird.

Notfalls tragen die Taucheranzüge!

Die Band, sagt Rödel, die spielt Musik, die was hermacht. Gute Musik, nach der die Stadt swingt. Glenn Miller sollen die spielen! Jazz! Oder einen Shanty! Einen richtigen Shanty! *What shall we do with the drunken sailor!* Oder *When the Saints go marching in!* Ganz egal, irgendetwas mit Karacho! Die ganze Stadt sieht hin, auf die Surfer über dem Eingang und auf die Big Band, die unter den Surfern spielt. Die Big Band spielt, dann marschiert sie in Reih und Glied durch das Tor, das rasselt und tutet, das trompetet und pfeift. Das hat Schmiss. Die marschieren in Reih und Glied bis zum Schwimmbad, da werfen sie ihre Instrumente ab und die Klamotten und dann springen die in den Pool. Dann springt die Big Band in Reih und Glied in den Pool! In Badehose und Bikini! Ohne Wenn und Aber! Die springen, und die Badelandschaft, unsere großartige Badelandschaft ist eröffnet!

Was für eine Show.

Rödel schweigt einen Moment. Rödel lehnt sich nach vorn und faltet die Hände. Er schließt die Augen. Rödel lauscht seinen Worten hinterher. Rödels Worte haben ihn ergriffen. In einer gewissen Weise ergreift Rödel sich selbst.

Für so einen Auftritt, sagt Rödel, für diese Eröffnung brauchen wir selbstverständlich ein Plakat. Ein Plakat, das wir überall aufhängen. Das hängen wir, wie wir das sonst auch machen, an jede Laterne, an jeden Baum, an jeden Platz, den wir kriegen. Und die Stadt sieht auf die Plakate, sieht auf ihre neue, einzigartige Badelandschaft und gerät in ein Badeanstaltslandschaftsfieber. Das Fieber greift um sich. Es ist ein Fieber, das jede Straße in Besitz nimmt. Das ist ein Fieber, das nur an einem einzigen Ort gekühlt werden kann.

Huse will etwas sagen, entscheidet sich aber im letzten Moment zu schweigen.

Rödels Wangen sind vom Sprechen gerötet. Das Fieber hat ihn bereits jetzt in Besitz genommen. Rödel hält eine Fotomontage in die Luft, die zeigt, wie der Bürgermeister und er in die Kamera blicken, während sie gemeinsam ein dickes rotes Band durchschneiden. Auf der Fotomontage lächelt Rödel sein Lieblingslächeln. Im Konferenzsaal auch. Rödel lächelt sein Lieblingslächeln und wartet auf Applaus.

Der Applaus bleibt aus. Der Aufsichtsrat steht vor dem mit bunten Bildern bedeckten Tisch im Sitzungszimmer.
Sollen die Leute wählen oder baden, fragt Huse.
Die Leute sollen die Badeanstalt wählen, sagt Rödel.
Brauchen wir nicht eher ein Motto, frage ich.
Du musst den Leuten zeigen, was für sie persönlich drin ist, sagt Ostrowski. Ein Schnupperangebot, das ist es, was wir brauchen. Ein Superschnupperwochenende, ein Superschnupperangebot! Tore auf und Preise runter. Dazu noch ein knackiger Slogan. Schnuppern Sie sich rein, schnuppern Sie sich fit! Er schnuppert, sie schnuppert, es schnuppert! Irgendwie so. Ostrowski holt Luft und sieht sich um.
Schnuppern finde ich auch gut, sagt Huse.
In meiner Badelandschaft wird nicht geschnuppert, sagt Rödel beleidigt.

Dann nehmen wir eine Mieze, sagt Huse. So einen richtigen Feger, mit dicken Lippen. Mit einem Badeanzug, der kein Badeanzug ist, nur Stofffetzen, die auf heißer Haut angeklebt sind. Wir nehmen eine Blonde, die dich anfassen will, die nach dir greift, die klettert schon aus dem Bild. Die streckt sich dir entgegen, mit ihren Dingern und mit ihrem Blick. Die hält es nicht mehr aus mit dem, was sie noch anhat. Die spannt sich an, damit der Stoff endlich platzt. Die brutzelt in der Sommerhitze, die brodelt in ihrem eigenen Saft.

Huse sieht sich um und lehnt sich zurück. Huse faltet die Hände. Das Plakat, sagt er, jetzt mit lässiger Stimme, das kann ich mir so ungefähr vorstellen.

Huse macht eine Pause.

Huse nimmt Maß und blickt Frau Meier-Feinspitz genau in die Augen.

Die Blonde, sagt er dann, die muss so aussehen wie: Leg dich auf den Rasen, da will ich dir …

Huse bricht ab.

Frau Meier-Feinspitz schnappt nach Luft.

Das ist ja ganz besonders ekelhaft, sagt Frau Meier-Feinspitz entrüstet.

Rödel platziert die Fotomontage, die ihn und den Bürgermeister zeigt, neben den anderen Entwürfen. Gut, sagt er, jetzt haben wir einige interessante Vorschläge. Ich glaube, an dieser Stelle kommen wir heute nicht weiter. Straußer, vielleicht wollen Sie uns kurz berichten, wie es auf dem Bau so vorangeht?

Sehr gern, sagt Straußer. Die winterfesten Palmen müssen ab.

Alle sehen Straußer an.

Was soll das bedeuten, die winterfesten Palmen müssen ab, fragt Frau Meier-Feinspitz.

Nun, sagt Straußer, wir haben winterfeste Palmen gepflanzt. Das hat auch gut geklappt. Die Ausgraberei in der Wüste, der Hubschraubertransport, die Anlandung in der Badelandschaft, die Anpflanzung in der afrikanischen Versandung vor dem Endzeitmoränenzitat, alles ist erstklassig gelaufen.

Die Palmen, sagt Straußer in seiner nordischen Mundart, stehen heute da, als wenn hier Sahara wäre.

Ja und?, fragt Ostrowski.

Jetzt, sagt Straußer, müssen die ab.

Weil wir sie aus Versehen auf die Hauptwege und vor den einen oder anderen Notausgang gepflanzt haben. Sogar dort, wo das Becken mit den Warm- und Massagedüsen hin soll, steht eine.

Man pflanzt doch nicht aus Versehen Bäume vor Notausgänge, sagt Ostrowski.

Als wir die Palmen gepflanzt haben, waren die Notausgänge noch gar nicht vorhanden, sagt Straußer beleidigt.

Wir blicken Straußer nachdenklich an. Na, sagt Rödel versöhnlich, der Aufsichtsrat muss sich ja vielleicht nicht mit jeder einzelnen Banane auseinandersetzen. Ein paar Bäume mehr oder weniger, das wird doch nicht so schlimm sein.

Wieso Banane, fragt Huse, der immer noch mit dem Plakat beschäftigt ist.

Es sind fünfhundert winterfeste Palmen, sagt Straußer.

Am Tisch herrscht Schweigen.

Werden wir fertig?, fragt Rödel schließlich.

Wir werden fertig, sagt Straußer.

Rechtzeitig?, frage ich.

Huse sieht mich an. Huse grinst.

Die Sitzung, sagt Rödel, ist geschlossen.

Kathrin K.

In der letzten Woche hat mich Kathrin Knudson besucht. Sie rief nicht einmal an, sie stand plötzlich vor der Tür.
Ich habe Zeit. Wenn es heute nicht gut ist, geht es auch morgen.
Nein, nein, sage ich, ich freue mich ja.
Trotz der Überraschung trete ich ohne Umschweife einen Schritt zurück und bitte sie herein. Die Wege in meiner Wohnung sind kurz. Wir nehmen an dem kleinen Esstisch Platz. In meinem Kopf überschlagen sich die Bilder. Wir blicken einander an und sehen uns im Zimmer um, schauen zum Fenster, auf das Bett, das sich in eine Couch verwandeln kann. Wir sehen auf das Bett, das ein Bett ist, weil ich nicht mit Besuch gerechnet habe. Die Akten für nachher liegen auf dem Kopfkissen.
Wir blicken einander ins Gesicht und suchen.
Ich frage mich, ob es stimmt. Haben wir tatsächlich miteinander geredet, um uns das Wasser, um uns die Nacht? Der Abend auf der Hallig liegt in einer anderen Welt. Ich frage mich, was aus Orten wird, an denen ich gewesen bin. Wir sitzen an dem kleinen Tisch, ich sehe auf Kathrin Knudson und spüre die Antwort. Sie sind noch da. Für eine Sekunde bin ich mit allem verbunden. Das Leben ist an vielen Plätzen zur gleichen Zeit.

Nach der Weite der Nordsee scheint die Begegnung in meiner Wohnung unwirklich. Eigentlich handelt es sich auch gar nicht um eine Wohnung. Einzimmer-Apartment, das ist ein anderes Wort für Höhle. Der Großstadtmensch zieht sich in sie zurück. In jede Ecke habe ich etwas gestopft. Ich fühle mich bedrängt. Kathrin Knudson scheint die Enge nicht zu stören. Sie besucht eine Freundin. Sie bleibt einige Tage und wohnt in einem Hotel, nicht weit von hier.

Wir sitzen voreinander, zwischen uns nicht mehr als der Küchentisch. Ihr offener Blick haut mich um. Hier können wir nicht bleiben, das wird Kathrin Knudson schneller klar als mir. Was halten Sie davon, wenn wir zusammen laufen?

Ich weiß nicht, was unwirklicher ist, die Zeit auf der Hallig, dass wir hier in meinem Apartment sitzen, oder Kathrin Knudsons Frage. Ich denke, dass das verrückt ist, mit einer Frau, die ich kaum kenne, die mir in der Not für zwei Nächte ein Zimmer auf einer Insel vermietet hat und die plötzlich vor meiner Tür steht, so als wohnte sie nebenan, durch die Stadt zu joggen. Ich brauche nichts zu sagen. Kathrin Knudson lacht mich an. Vielleicht lacht sie mich auch aus. Kathrin Knudson meint es ernst. Ich blicke in ihr klares, schönes Gesicht und spüre wieder, wie frei diese Frau ist. Frei, auf ihre eigene Art erwachsen und unbekümmert zugleich.

Ich fühle mich ausgetrocknet und bin aufgeregt. Ich bemerke, dass ich meinem Gast nicht einmal etwas zu trinken angeboten habe und versuche, die Situation in den Griff zu bekommen. Joggen Sie denn? Auf der Hallig, immerzu im Kreis? Da haben Sie aber schnell vergessen, erwidert Kathrin Knudson. Die Salzwiesen, entlang am Meer.

Ich nicke. Der Queller. Ich schweige. Ich habe nichts vergessen.
Bald steht Kathrin Knudson auf. Nun kommen Sie schon. Eine
kleine Runde. Oder haben Sie andere Pläne?
Ich habe heute Abend nichts vor. Es wäre mir auch egal.
Wir verabreden uns vor dem Haus.

Als Kathrin Knudson gegangen ist und ich meine Sporthose
suche, überschlagen sich die Gedanken, ganz so, als wollte
mein Gehirn die Nullleistung von eben vergessen machen.
Hat sie gerade noch an diesem Tisch gesessen? Ist das wirklich geschehen? Ich wühle in den Ecken. Auch in einer kleinen Wohnung gibt es Dinge, die man nicht finden kann. Ich
schaue mich um. Was sieht einer, der hier hereinkommt? Das
Apartment macht einen wenig wohnlichen Eindruck. Die Kü-
chenzeile ist blank geputzt und kaum benutzt. An der Wand
hängt kein Bild. Der zweite Stuhl soll mir das Gefühl geben,
dass dort ein Gast sitzen könnte. Der Koffer wartet an der
Tür.
Ich denke an das Haus auf der Warft.
Heide und Ginster, der Anker. Wildes Gras. Magazine und Bü-
cher, die Korkenköpfe.
Feuerstein.
Ob sie überhaupt kommen wird?
Meine Gedanken machen Purzelbäume.
Ich überlege, ob Kathrin Knudson mich beim Laufen abhängt.
Diese Frage beschäftigt mich, während ich fieberhaft meine
Sporthose suche, immer mehr. Ich finde meine Sportsachen.
Sie sind grauenhaft. Wie eine Turnhose in der Zehnten. Aus-
geschlossen, die kann ich nicht tragen. Plötzlich fühle ich mich
alt. Ich denke an Meinsteiners Bauch. Ich sehe Meinsteiner,
er lehnt sich in seinem Stuhl zurück, legt sich in seinen Stuhl

hinein, Meinsteiners Bauch ist eine Masse, die wächst aus Meinsteiner und aus Meinsteiners Stuhl heraus.

Ich blicke an mir herab.

In dem Koffer auf dem Schrank entdecke ich eine lange Trainingshose. Ich streiche sie glatt. Auch diese Hose entstammt einem vergangenen Jahrtausend.

Es ist so weit. Es hilft nichts, ich ziehe mich an. Ich stehe an der Haustür vor dem Spiegel. Die Kleidung ist abgenutzt. Ich sehe unförmig aus. In den letzten Monaten habe ich zu wenig auf mich achtgegeben. Wer so daherkommt, muss schon sehr schnell rennen. Bestimmt hängt sie mich ab.

Ich schließe zögerlich die Tür, gehe die Treppe hinunter und drücke mich unauffällig in einer Ecke des Hauseinganges herum.

Kathrin Knudson kommt um die Straßenecke gejoggt.

Mit einer Kopfbewegung und einem Lächeln lockt sie mich aus der Ecke heraus.

Kathrin Knudsons Beine greifen weit, sie federt, sie atmet tief. An der ersten Kreuzung dreht sie sich um und gibt mir ein Zeichen.

Laufen Sie vor!

Ich überhole. Es dauert nur Minuten, bis mein Übermut verfliegt. Jetzt ist niemand mehr da, an dem ich mich orientieren kann.

Am liebsten würde ich stehen bleiben. An jedem Tag in dieser Woche ging es früh los. Ich fühle mich schwer und spüre Kathrin Knudsons Kraft auf meinen Fersen. Ich weiß nicht, ob ich es schaffe. Ich suche die richtige Geschwindigkeit. Schneller. Langsamer. Ich werde unsicher, versuche, mich gleichmäßig zu bewegen.

Eine mittlere Geschwindigkeit, so muss es gehen. Ich laufe, warte, kontrolliere meine Schritte. Nach einigen Minuten wird es besser. Ich erzwinge die Bewegung nicht mehr.

Dann wird es gut.

Plötzlich fällt mir das Laufen leicht. Ich bewege mich mühelos. Berlin-Schöneberg, ein Wohnviertel kurz unterhalb des Kurfürstendamms. Ruhige Straßen, von Bäumen umstandene Plätze, Brunnen, an denen Kinder spielen. Stattliche Mietshäuser mit Ornamenten und Balkonen. Buchhändler, ein Antiquariat, Lebensmittelgeschäfte, ein kleines Café. Bald wird es dunkel.

Der Lichtwechsel ist meine liebste Zeit.

Im Wechsel des Lichtes scheint alles sanft und wahr.

Ich habe seit jeher das Gefühl, dass sich das Leben vor der Dunkelheit noch einmal entfaltet. Jeder Lichtwechsel gibt uns eine kleine neue Chance.

In der Abendstunde sind wir in eigener Sache unterwegs. Wir schütteln den Tag ab und spüren uns nach.

Kathrin Knudson und ich laufen, während die Sonne untergeht. Hier steht sie noch am Himmel und wirft ihre Strahlen auf die Fassaden der Gründerzeit, dort ist sie bereits hinter den Dächern verschwunden. Die prächtig restaurierten Fassaden bleiben bald zurück, Wohnen und Gewerbe wechseln einander ab. Berliner Ansichten. Zwischen Mietshäusern das schmucklos gelb geklunkerte Empfangsgebäude einer Fabrik aus den Zwanzigerjahren, daneben eine Autowerkstatt, die mit verblichener Schrift Karosseriebau verspricht, Claudias Massagesalon, ein Hypnoseinstitut in dem einst herrschaftlichen Eckhaus. Die Schilder an der Tür der Fabrik künden von der Gründerszene auf den Höfen. Wir laufen langsamer. Da ist die Feuerwehrausfahrt. Auf dem Gehweg jongliert ein schmaler Junge lautlos mit zwei prächtigen rot-blauen Rädern. Sie sind viel zu groß für ihn. Der Junge ist in das Auf und Ab der schnellen Bewegung versunken. Die Diabolos fliegen bis zu den Dächern der Häuser hinauf und landen sicher wieder in seinem Seil. Hinter einer Schule stehen die Wohnhäuser wieder dicht beieinander. Händler sitzen zwischen Obst und Blumen. Ein Goldschmied besieht seine Auslage. Ein Gastwirt stellt Tische auf. In einer Grünanlage spielen Männer mit verwitterten Gesichtern an steinernen Tischen Schach. Bald nach dem Schnee sind sie gekommen, erst mit der nächsten Kälte werden sie wieder gehen.

Einige Straßen vor uns liegt die Kleingartenkolonie. Als wir den zwischen zwei Obstbäumen versteckten Eingang erreichen, atme ich durch. Kleingartenkolonien gehören zu Berlin wie das Brandenburger Tor. Aus den Vororten ziehen sie sich in einer lockeren Kette grüner Flecken bis in die Mitte der Stadt. Hier gibt es keine Straßen, keinen Lärm und keine Eile. Welt neben Welt. Gärten, in denen wird gesät, gepflanzt und geerntet. Die Jahreszeiten bestimmen den Takt. In Berlin fängt der Frühling bei den Laubenpiepern an. Die Kleingärten sind Bonsai mit Gartenzwerg und Grill und Schnauze. Klein gehaltene Bäume haben über Jahre die Gestalt der großen angenommen, die geschrumpfte Hütte grüßt als Briefkasten neben dem Tor. Windmühlen stehen als Miniaturen hinter Hänsel und Gretel, an Kunstteichen in der Größe einer Pfütze. Wen würde es wundern, kämen auch ihre Besitzer als Zwerge daher? Zwischen den Obstbäumen hindurch geht es auf den Hauptweg. Kathrin Knudson bleibt dicht an meiner Seite. Wir sind allein. Die Luft ist reich. Aus den Gärten duftet und leuchtet und zwitschert es, als wollte die Welt morgen untergehen.

Auf einem Pfad müssen wir hintereinander laufen. Es ist ein Tanz zwischen Ästen mit Früchten und Blumen, die über Zäune reichen.

Sie lacht.
Blütenstaub in ihrem Gesicht.
Der Moment hört nicht auf.

Wir erreichen den Ausgang der Kolonie, dahinter liegt wieder ein Wohnviertel. Einige Minuten später überqueren wir eine geschwungene Fußgängerbrücke. Unter uns fließt der Verkehr auf einer vierspurigen Straße, hier oben ist es fast still. Es gefällt mir, dass sich da Blech an Blech reiht, während Menschen einander hier oben begegnen. Kathrin Knudson hat mich auf dem kleinen Anstieg überholt, jetzt grüßt sie Spaziergänger. Schon sind wir auf dem Scheitelpunkt und laufen wieder hinunter.
Kathrin Knudson wird schneller. Nur einen Moment habe ich nicht aufgepasst, jetzt ist sie weit vorn. Ich kalkuliere den Weg. Noch fünfzehn Minuten, dann geht es zurück. Ich versuche, sie einzuholen. Ich beschleunige, ich komme heran. Als ich dicht hinter ihr bin, werden ihre Schritte größer und größer.
Ich halte eine Weile mit, sage mir, es ist nicht mehr weit, die Luft reicht bis zum Ziel. Als ich Kathrin Knudson überholen will, zieht sie noch einmal an. Ich falle sofort zurück. Der Abstand vergrößert sich erneut. Es schmerzt mich, sie so weit vorn zu sehen. Meine Lungen schmerzen auch. Es ist großartig, diese Frau laufen zu sehen. Ich blicke ihr hinterher.

Am Ende der Straße wird Kathrin Knudson langsamer. Ich schließe auf. Als ich wieder neben ihr bin, sieht sie mich an. Sie lächelt. Wir schweigen.

Die letzten Schritte gehen wir. Mein Kreislauf will sich überschlagen, nun pocht auch mein Herz. Gleich wird es sich entscheiden. Ich schließe die Haustür auf und öffne die Tür zu meinem Apartment. Sie folgt mir jedes Mal ohne ein Wort. In der Wohnung ziehe ich mich, so gut es geht, in eine Ecke zurück. Ich höre Kathrin Knudson duschen. Als sie fertig ist, wende ich mich zum Fenster.
Kathrin Knudson kommt ohne Kleidung aus dem Badezimmer heraus. Sie lehnt sich an den Tisch, sie legt die Hände hinter sich und sieht mich an.

Über das, was an diesem Abend, in dieser Nacht geschehen ist, möchte ich nicht sprechen. Der Grund meines Schweigens ist aber ein anderer als der, dass ich über die Jahre gelernt habe, das Private zu schützen. Ich möchte über die Stunden, die Kathrin Knudson und ich in meinem Apartment verbracht haben, nicht sprechen, weil ich es nicht kann. Kathrin Knudson ist eine Frau, die alles gibt. Sie kennt keine Zeit und keine Grenze. Ich sehe ihren Körper, der sich hinhält und wartet wie das Blatt auf den Regen. Ich sehe ihren Körper, der sich hart spannt wie ein Bogen. Ich sehe ihre Hände, die nach mir suchen, während sie in meine Augen blickt. Ihre Pupille ist geweitet. Unter den unzähligen Bildern dieser Nacht ist eines, von dem ich sicher bin, es nicht zu vergessen, so lange ich lebe. Es ist ihr Lächeln, wenn es beginnt. Dieses Lächeln, das erscheint, wenn Kathrin Knudson spürt, dass eine Saite in ihrem Körper berührt worden ist, wenn sie spürt, dass diese Saite erwacht.

Niemals vergesse ich diese Stunden, in denen ich frei gewesen bin.

Mit dem ersten Licht des Morgens ist sie gegangen. Kathrin Knudson hat es tatsächlich geschafft zu gehen, während ich schlief. Die Postkarte klemmte immer noch zwischen Salz und Pfeffer. Ich weiß nicht, ob Kathrin Knudson sie gesehen hat. Die Akten lagen auf dem Esstisch. Sonst nichts.

Die Hauptstadt übt

Mit Hilfe einer Zeitungsanzeige unter dem Motto, *Achtung Berlin, jetzt wird es nass*, sucht die neue Badelandschaft am Schlossplatz Freiwillige, die eine Woche lang kostenlos den Schwimm- und Freizeitbetrieb testen. Der Einlass erfolgt um Punkt neun. Die Gäste auf Probe sollen sich wie bei einem normalen Besuch verhalten. Sie lösen eine Eintrittskarte, sie kleiden sich um, sie benutzen die Schließfächer, duschen und schwimmen. Auch die Saunen und Liegewiesen stehen zur Verfügung. Im Laufe des Besuches sollen eine hohe Auslastung einzelner Anlagenteile und allerlei Verhaltensweisen simuliert werden, die sich im Rahmen des Besuches einer öffentlichen Anstalt ergeben können. Jeder Teilnehmer erhält als Dank Pommes und Currywurst satt sowie zwei Freikarten für einen Superschnuppertag in der Woche nach der Eröffnung.

Grenzenlos

Zwei Stunden sind für die Debatte im Plenum angesetzt. Meinsteiner hat recht behalten. Nach aktuellen Einschätzungen kann die Staatspleite Zyperns nur mit einem Hilfspaket in Höhe von 23 000 000 000 Euro abgewendet werden. Es stimme zwar, hat ein Sprecher der zyprischen Regierung gesagt, dass der Finanzbedarf bisher erheblich niedriger beziffert worden sei. Fortan gelte aber die nun genannte Zahl. Der Regierungssprecher weist darauf hin, dass nicht seine, sondern die Vorgängerregierung für die Lage des Landes verantwortlich gemacht werden müsse.

Zypern versucht, von den als Gegenleistung für weitere Hilfen vereinbarten Reformen abzurücken. Der zyprische Präsident ist der Auffassung, dass Teile des Modells zur Rettung seines Landes ohne sorgfältige Vorbereitung umgesetzt worden sind. Führende zyprische Politiker haben sich inzwischen dagegen ausgesprochen, die Wirtschaft des Landes neu auszurichten. Die Europäische Gemeinschaft und der Internationale Währungsfonds erklären, sie seien zur Zeit nicht bereit, höhere Beiträge zu leisten.

Ich sitze auf meinem Platz und frage mich, wem die Debatte nützt. Die Redebeiträge beschreiben nicht mehr als bekannte

Positionen. Keiner traut sich, Alternativen zu benennen. Das Ergebnis steht längst fest. Ich würde anders sprechen.

Europa, ich liebe den Klang dieses Wortes. Der Stolz auf mein Land macht nur in der Mitte Europas Sinn. Europa, das sind zweitausend Jahre eines geistreichen und mutigen Kontinentes, das ist eine elegante Dame, die über die Zeit nichts von ihrer Klasse eingebüßt hat. Da Vinci zeichnete Flugmaschinen und schuf die Mona Lisa. Galileo veränderte unsere Ansicht von der Welt. Sokrates pries die Bedeutung des Dialogs für die Erkenntnis. Alexander von Humboldt erforschte die Natur und reiste bis zum Chimborazo. Solon und Kleisthenes legten die Grundlagen der Demokratie. Voltaire bereitete der französischen Revolution den Weg. Goethe schrieb den Faust und trieb uns mit seinen Naturforschungen voran. Ich bin davon überzeugt, Europa hat beste Aussichten auf eine gute Zukunft. Der Traum der Europäischen Gemeinschaft ist jung. Wir sind fünfhundert Millionen Menschen, die in Freiheit und Frieden zusammenleben. Wir stecken immer noch voller Ideen und Tatendrang. Die Vielfalt unserer Städte und unserer Landschaften gibt uns Heimat und Kraft. Kultur und Bildung machen uns reich.

Bunt ist meine Lieblingsfarbe, das hat Walter Gropius gesagt. Wie wahr.

Dass Geldströme in den letzten Jahren beinahe unsere einzige Dimension geworden sind, gibt dem Europa der Gegenwart eine viel zu primitive Gestalt. Die Großartigkeit unseres Kontinentes zeigt sich auch in diesen Jahren. Nach dem Morden und Schlachten des Zweiten Weltkrieges glaubten wir, die Grenzen der Nationen seien unüberwindbar. Heute sind die Schlagbäume offen.

Gibt es etwas Moderneres, als Grenzen aufzuheben?
Eine Grenze, das ist doch nicht mehr als ein Relikt vergangener Zeiten.
Was zählen Zäune, wenn Menschen und Güter, Informationen und Wissen, wenn Geld und Arbeit ohnehin reisen, wohin sie wollen? Was zählen Grenzen, wenn wir nur gemeinsam die Versorgung mit Rohstoffen gewährleisten können? Wenn wir es nur gemeinsam schaffen, unseren Planeten zu erhalten? Und was zählen Grenzen, wenn niemand mehr einen Krieg zu gewinnen vermag?
Ich sage voraus, dass die Grenzen auf unserem Planeten in nur wenigen Jahrzehnten ohne Bedeutung sind. Wir werden sie vergessen. Europa führt die Bewegung an. Wieder einmal ist Europa eine Kraft der Erneuerung. Wem sonst trauen wir es zu, Nationen zu verstehen? Wem sonst trauen wir es zu, sich mit anderen Ländern zu verbinden, ohne sie zu unterwerfen?

Zwei Stunden, die Debatte über das Hilfspaket für Zypern geht zu Ende. Der deutsche Finanzminister ist der Auffassung, das Hilfspaket sei ein Beitrag zur Stabilität der Eurozone. Wir Abgeordneten, sagt die Regierung, sollen Europa nicht durch unsere Sturheit gefährden. Für diejenigen, die nicht überzeugt sind, gibt es noch ein paar Schauergeschichten hinterher. Über Eurobonds, die abgewehrt wurden. Was mit den Banken geschieht, wenn der mühsam erzielte Konsens aufgekündigt werden muss.

Wer weiß, ob man sich überhaupt noch einmal auf eine Lösung verständigen könnte. Nach dieser Nacht. Wollen Sie riskieren, dass der weltweite Finanzmarkt kollabiert?
Wollen Sie persönlich die Verantwortung dafür tragen, wenn alles zusammenbricht?

Das überlegt sich ein Abgeordneter aus einer norddeutschen Kleinstadt schon, ob er für den Kollaps des weltweiten Finanzmarktes verantwortlich sein möchte.

23 000 000 000 Euro für Zypern, das nur 0,1 Prozent der Wirtschaftsleistung Europas erzeugt. Um welche Beträge mag es gehen, wenn einer unserer großen Nachbarn ins Straucheln gerät?

Meinsteiner kommt. Er grüßt freundlich einige Kollegen, setzt sich auf seinen Platz und legt einen Stapel Unterlagen auf seinen Schoß. Meinsteiner nimmt die ersten Seiten und beginnt mit großer Ruhe, das Papier zu zerreißen. Dabei reißt Meinsteiner nicht einfach durch und wirft weg. Er arbeitet mit System. Auf seinem Pult bilden sich Haufen. Meinsteiner reißt Runde um Runde. Groß auf kleiner, kleiner auf klein. Klein auf ganz klein, Meinsteiner reißt und reißt. Meinsteiner reißt, bis es nichts mehr zu reißen gibt.

Rödels Fest

Oh, when the saints go marching in, oh, when the saints go marching in, oh, Lord, I want to be in that number, when the saints go marching in. Rödel singt. Rödel singt aus voller Brust. Musik ist in Rödel, Musik will aus Rödel heraus. Rödel steht an dem ovalen Tisch, er breitet die Arme aus, er steht auf einer Bühne, Rödel wirft uns den Gesang entgegen und schickt uns sein Lächeln hinterher. Das ist ein Lächeln, vor dem die Welt zergeht. Rödel singt für uns alle. Er ist hier und anderswo zugleich. Rödel befindet sich in dem Sitzungsraum und trägt einen seiner immerzu zerknitterten, blauen Anzüge, Rödel ist ein Schwarzer, der in einer Holzkirche in den Südstaaten an einem Sonntag vor die bunt gekleidete Gemeinde tritt und seine Stimme erhebt. Draußen der Glast der Hitze, draußen staubige Armut, Wege, die zwischen Lehmhütten hindurch auf Baumwollfelder führen, die reichen von Hügel zu Hügel. Die Männer und Frauen in der Kirche bewegen sich zu Rödels Gesang. Da ist ein Summen, das sich aufschwingt, da sind Rufe, gleich stimmen sie ein. Morgen müssen sie schuften, morgen bluten ihre Hände auf Feldern, auf denen sie ernten, doch niemand nimmt ihnen heute die Musik.

Niemand nimmt Rödel die Musik, aber die Strophe ist zu

Ende. Rödel hat die Arme geöffnet und wartet darauf, dass wir klatschen.

Ich höre den Verkehr der mittäglichen Stadt. Vier Männer und eine Frau starren Rödel an. Niemand rührt sich.

Auf dem Tisch liegen vier Badehosen und ein Badeanzug.

Oh, when the saints, ruft Rödel noch einmal und lässt die Arme sinken, so, nun ja, so in etwa sollen sie singen. Und weil es ein großes Fest wird, weil es ein fabelhaftes Ereignis wird, Rödel zieht das fabelhafte Ereignis in die Länge, Rödel dehnt das fabelhafte Ereignis aus, weil wir ein unvergessliches Fest feiern werden, sollten wir einladen, wen wir nur können.

Rödels Augen rollen und seine Wangen sind gerötet. Vielleicht ist Rödel wirklich verrückt. Ich denke, womöglich hat das Fest in seinem Kopf bereits stattgefunden, womöglich findet das Fest in Rödels Kopf wieder und wieder statt, es ereignet sich in Rödels Kopf bei Tag und bei Nacht. Es ereignet sich auch in diesem Moment, jetzt, während Rödel vor uns steht und redet und singt.

Für eine Sekunde frage ich mich, wer wen besitzt.

Ruft Rödel das Fest oder das Fest Rödel?

Wir sollten einladen, wiederholt Rödel, wen wir nur können. Die ganze Liste hoch und runter! Den Herrn Bundespräsidenten! Die Frau Bundeskanzlerin! Die Bundesminister! Den Bund! Den Regierenden Bürgermeister, Ministerpräsidenten der Bundesländer. Dann die Senatoren und die Landesminister der Bundesländer! Den und den aus den Bundesländern dazu. Die Kollegen aus den Parlamenten, die Kollegen aus dem Bundestag, die Kollegen aus den Landtagen.

Und Europa!

Und selbstverständlich die Kolleginnen und Kollegen aus den Parteien!

Rödel greift mit seiner rechten Hand nach seiner linken.

Bei uns, sagt Rödel, vereinigen sich die Kolleginnen und Kollegen aller Parteien während eines glücklichen Bades. Sie vereinigen sich, dass es eine Freude ist! Sie vereinigen sich mit den Vertretern der Wirtschaft, mit den Vertretern der Handelskammer und der Handwerkskammer, sie vereinigen sich mit den Vertretern aller Kammern und Verbände. Denn natürlich kommen die auch zu unserem Fest! Und die Kammern, die vereinigen sich ebenfalls, die vereinigen sich miteinander, die vereinigen sich ihrerseits mit den Parteien, die vereinigen sich links und rechts und hin und her, die vereinigen sich kreuz und quer, wie sie da sind.

Und die Verbände, sagt Rödel, die vereinigen sich auch. Alle vereinigen sich in unserer Badelandschaft, von Arbeitgeber bis Anästhesie, von Landwirtschaft bis Luftfahrt, von Zucker bis Zentralverband.

Und dann, sagt Rödel, während er ein dicht beschriebenes Blatt in die Luft hält, laden wir natürlich noch die ein, die auf dieser Liste stehen. Und alle, die auf Ihrer Liste stehen, Rödels Zeigefinger wandert und zeigt auf jeden von uns, die laden wir ebenfalls ein.

Und schließlich, sagt Rödel, sind da noch die Bauleute. Die Bauleute, diese Männer und Frauen, die unsere großartige Badelandschaft mit ihrem unermüdlichen Einsatz überhaupt erst geschaffen haben.

Was wären wir denn ohne die, die anpacken?

Erst mit den Bauleuten, sagt Rödel mit würdiger Miene und holt bedeutungsvoll Atem, erst mit den Bauleuten wird unser Fest ein Fest.

Ein Streifschuss

In der Zeitung steht, dass sich zwei Teilnehmer nach einer Verhandlung zum europäischen Haushalt darüber streiten, auf welchen Betrag man sich in der Nacht geeinigt habe. Der eine meint, das Ergebnis laute 1 000 000 000 000 Euro. Der andere beharrt darauf, dass es 960 000 000 000 Euro gewesen sind.

Nach Ansicht der Zeitung sind 960 000 000 000 Euro und 1 000 000 000 000 Euro das Gleiche. In dieser Zeit komme es auf ein wenig mehr Euro oder ein wenig weniger Euro hier oder da nicht an. Die Zeitung meint, die Keilerei über einen so geringfügigen Betrag wie vierzig Milliarden Euro verrate einen kleinteiligen, ja, einen kurzsichtigen Geist. Die beiden Herren sollen sich vor der nächsten Verhandlung gründlicher in ihr Metier einarbeiten.

Interessanter als die Frage, welcher Betrag am Ende verabredet worden sein könnte, sei, warum denn keiner genau wisse, wie das Verhandlungsergebnis lautet. Immerhin wäre es ja möglich gewesen, das Vereinbarte auf einem Zettel zu notieren, auf einer Serviette, notfalls auch auf einem Bierdeckel. Oder in so etwas wie einem Protokoll.

Dass dies nicht geschehen ist, kam nach Recherchen des Blattes so: Die Teilnehmer internationaler Verhandlungen sprechen herkunftsgemäß unterschiedliche Sprachen. Die Verhandlung, gewissermaßen das Tischgespräch des Treffens, wird deshalb von Dolmetschern übersetzt. Europa hat zurzeit ungefähr vierundzwanzig Amtssprachen. Hinzu kommen Vertragssprachen wie Walisisch und Baskisch. Auch wenn kleinere Dialekte wie Nordfriesisch oder Saterfriesisch und auch Esperanto kaum eine Rolle spielen, bleibt viel zu tun. Dolmetschende Dolmetscher sind im Regelfall unsichtbar. Es ist sogar möglich, dass Dolmetscher der Art unsichtbar sind, dass die Verhandlungsteilnehmer nicht einmal wissen, dass es sie gibt. Die Dolmetscher sitzen in kleinen, fächerartigen Kabinen und übersetzen die ihnen in einer Sprache übermittelten Verhandlungsbeiträge simultan in eine andere. Die übersetzten Verhandlungsbeiträge wandern dann in verwirrender Vielfalt aus den Kabinen durch ein ebenso verwirrendes, wenngleich sprachlich neutrales Kabelwerk an die Verhandlungteilnehmer zurück.

Auch wenn die Bezeichnungen *Dolmetscher* und *dolmetschen* es kaum deutlich machen; die unter dieser Rubrik verrichtete Arbeit ist für den Erfolg internationaler Verhandlungen unverzichtbar.

Selbst die Leistungen der wahrhaft internationalen Dolmetscher können jedoch nicht darüber hinweghelfen, dass man einander missversteht. Jedes Kind weiß, dass wichtige Gespräche schon immer und erst recht heutzutage nicht über Kabel und Dolmetscher, sondern von Auge zu Auge geführt werden. Am großen Tisch beziehen wir Position, zu zweit geht es zum Ziel. Auch ist das moderne Kabelwerk weit mehr als nur ein eifriger Transporteur vom Verhandlungstisch zur Kabine und retour. Das moderne Kabelwerk ist so offen wie ein Buch und ein Spielfeld wetteifernder Nachrichtendienste; eine überkommene und teure, gleichwohl immer noch geschätzte Form der Nachrichtengewinnung, die man zwar ebenfalls nicht sieht, von der aber jedermann weiß, dass sie da ist. Heutzutage sind Telefone Telefongeräte und Mithörgeräte zugleich.

Es gilt, vorsichtig zu sein.

Es gilt zu bedenken, was man in ein Mikrophon spricht.

Der Teilnehmer internationaler Verhandlungen muss also nicht nur dem Tischgespräch folgen, sondern sich außerdem leise, direkt und simultan mit anderen Verhandlungsteilnehmern unterhalten. Simultan, simultan ist ein schwieriges Geschäft. Man kann es sich, der Zeitung zufolge, ungefähr so vorstellen, dass auf jedem Stuhl einer sitzt, der versucht, für das in fremder und via Kopfhörer und Dolmetscher in seiner Muttersprache Vernommene eine Lösung zu finden und diese Lösung ohne Dolmetscher und Kopfhörer in die zweite Verhandlung, das heißt, in das direkte Gespräch und die hier vereinbarte Sprache zu transformieren.

Im direkten Gespräch, ohne Dolmetscher, wird erst recht deutlich, dass deren Arbeit völlig unverzichtbar ist.

Die beiden Teilnehmer der großen Verhandlung, die sich nun auch noch in einer zwar kleinen, aber entscheidenden bilateralen Verhandlung befinden, haben für diese Erkenntnis allerdings keine Zeit. Gewissermaßen erneut zeitgleich, mehrfach simultan unternehmen sie den Versuch, das ohne Dolmetscher in das direkte Gespräch Übertragene mit dem zu vergleichen, was inzwischen als Lösung im Rahmen des Tischgespräches besprochen wird. Hinzu kommen Rückfragen bei der eigenen Nation und bei dem eigenen Nachrichtendienst, der im Wetteifer mit anderen Nachrichtendiensten bisher Ungehörtes und von Zeit zu Zeit sogar Unerhörtes übersetzt.

Die Lage ist anspruchsvoll.

Das vielfach Simultane erreicht an dieser Stelle seine allerhöchste Komplexität.

Der Teilnehmer internationaler Verhandlungen hat in einem einzigen Moment zwei bis drei Situationen und zwei bis drei Sprachen zu bewältigen, von denen er im Regelfall nur eine passabel beherrscht.

Aber das ist noch nicht alles. Neben der Koexistenz von Sprachen und Gesprächen gibt es ein weiteres Problem. Einer der beiden Streithähne soll gegenüber der Zeitung zugegeben haben, dass er, wie soll er es sagen, auch mal müde wird. Er hat zugegeben, jetzt ist es heraus, dass er manchmal schlafen muss. Nicht zu Hause. Zu Hause wäre nicht so schlimm.

Der Mann schläft in der Sitzung.

Er behauptet allerdings steif und fest, er sei auch ein Mensch und es gebe keinen einzigen Teilnehmer nächtlicher Verhandlungen, zumindest sofern es sich um Menschen handele, der nicht mindestens eine Stunde pro Nacht und Sitzung schlafe.

So war es auch dieses Mal.

Eine Stunde Schlaf, aber natürlich nicht am Stück.

Der Mann hat sich nach eigenen Worten über die Jahre beigebracht, von Zeit zu Zeit ein kleines, ein sehr kleines, ein klitzekleines Nickerchen zu machen. Er schließt einfach die Augen und döst vor sich hin. Das schadet auch nichts. Nach Mitternacht, sagt er, hängt stets eine Handvoll Kollegen um den Tisch herum, die döst.

Dösende Kollegen.

Der Zeitung gefallen die Worte Nickerchen und Dösen nicht, wenn es um 1 000 000 000 000 oder um 960 000 000 000 Euro geht. Auch wenn es auf die Höhe der Summe letztlich nicht so ankomme, meint die Zeitung, Nickerchen und Dösen gehörten in die sonntägliche Mittagsstunde. Nickerchen und Dösen gehören auf das Sofa. Oma und Opa, so die Zeitung, die dösen sich durch die Zeit.

Nun ja.

Der Verhandlungsteilnehmer hat auch gesagt, eventuell sei sein Kopf ein wenig nach vorn gesackt.

Ein wenig. Eventuell auf den Tisch. Der Mann glaubt, das sei ungefähr gegen zwei Uhr geschehen. Einer der anderen Verhandlungsteilnehmer bestreitet nach der Einlassung seines Kollegen nicht mehr, dass er einen Moment lang unachtsam gewesen sein könnte.

Das war dann so gegen vier.

Oder auch früher.

Eine Handvoll Kollegen saß, bestätigt er, dösend um den Tisch herum. Aha. Vielleicht, meint die Zeitung, ist es ja so gewesen, dass es gegen zwei um 1 000 000 000 000 Euro ging und gegen vier oder früher nur noch um 960 000 000 000 Euro?

Wenn man lange genug wartet, mutmaßt das Blatt, dann wird es eben billiger. Nach seiner persönlichen Erfahrung, schreibt der Journalist, führe Abwarten zwar eher zu einer Verteuerung der Dinge. Aber wer kenne sich schon aus. Wahrscheinlich gehöre es heute zur hohen Kunst der Diplomatie, zur richtigen Zeit unaufmerksam zu sein. Es sei nicht auszuschließen, dass jeder Teilnehmer der nächtlichen Verhandlungen deren Ergebnis korrekt berichte, weil jeder zu seiner Zeit aufmerksam und unaufmerksam gewesen ist. Denkbar wäre, dass man einmal gegen zwei und einmal gegen vier Uhr abgestimmt habe. Was in der Nacht herausgekommen ist, bliebe so für immer unklar. Die Zeitung fragt, wie es nun weitergehen soll. Vielleicht, meint das Blatt, wäre es eine Lösung, diejenige Abstimmung zu werten, bei der die meisten Verhandlungsteilnehmer wach gewesen sind. Aber wie bekommt man das heraus?

Natürlich gibt es bei den nächtlichen Verhandlungen in Brüssel neben der Sache mit den Sprachen und der Döserei auch noch andere Herausforderungen. In der Nacht geht es um Großes, für das Kleingedruckte bleibt keine Zeit. Über den Betrag werden wir uns schon einigen, aber was ist mit den Einzelheiten? Mit Zinsen oder ohne? Fakturieren wir in Euro? Ab sofort oder ab wann? Mit dem oder ohne das? Wer bezahlt die erste Tranche? Egal, die Morgenmaschine wartet. Weniger aufregende, weniger politische, in jedem Fall aber kostenintensive Fragen bleiben so wieder einmal den Technokraten überlassen. Was in der Nacht bei der Politik herauskommt, setzt die europäische Verwaltung ungerührt um. Bleibt eine Entscheidung aus, macht sie weiter. Was sonst sollte sie auch tun? Wenn die Politik im Morgengrauen ohne Ergebnis abgereist ist, einigt man sich in den Amtsstuben auf einen wahrhaft europäischen, den teuersten Kompromiss: Jeder kriegt so viel, dass wenig Grund bleibt, um sich zu beschweren. Am Ende des Textes mutmaßt die Zeitung, wie viel Kaffee in dieser Nacht getrunken worden sein könnte. Unstreitig, sagt das Blatt, war der Kaffee ab Mitternacht kalt.

Baden gehen

Ob die Bauleute wohl auf der Namensliste verzeichnet sind, die Rödel in der Hand hält und jetzt auf den Tisch legt? Uns hat es den Atem verschlagen.

Selbst die Politik hält im Irrleuchten Maß.

Schweigen.

Rödel steht vor uns, er sieht uns an und wartet.

In den Augen von Frau Meier-Feinspitz erkenne ich eine lautlose Absetzbewegung. Rödel bemerkt nichts. Nachdem kein anderer etwas sagt, macht er weiter.

Zur Einstimmung auf unser Fest, sagt Rödel, in Vorfreude auf den glorreichen Abschluss unserer gemeinsamen Sache habe ich Sie gebeten, heute probehalber, Rödel sieht auf den Badeanzug, der vor Frau Meier-Feinspitz liegt, Ihre Badekleidung mitzubringen.

Frau Meier-Feinspitz hat versucht, ihren Badeanzug zu einem kleinen Viereck zu falten. Ein wenig sieht es nun so aus, als gehörte der Badeanzug zu den Unterlagen dazu.

Strausßer hat keine Badehose dabei. Er macht heute ohnehin einen unglücklichen Eindruck. Aus irgendeinem Grund wundert es mich nicht, dass Strausßer ohne Badehose erschienen ist. Ich überlege, ob Strausßer überhaupt eine Badehose besitzt. Straußer gehört zu den Menschen, deren Privatleben ich mir nicht vorstellen kann. Frau Meier-Feinspitz fühlt sich unwohl, das sehe ich ihr an. Der Badeanzug ist schwarz. Huse hat ein knallbuntes, überlanges Paar Shorts auf den Tisch geworfen. Ostrowskis Leistungsschwimmerhose ist, trotz seines voluminösen Körpers, klein. Die Badehose von Rödel bildet wie meine eigene ein unauffälliges, unifarbenes Häufchen.

Wir sollen die Dinger jetzt aber nicht anziehen, oder?, fragt Huse.

Huse hat einen gierigen Blick. Ich bin sicher, dass Huse seine schnieke, bügelgefaltete Anzughose mit dem ersten Wort von Rödel fallen lässt.

Rödel beachtet Huse nicht. Ich habe noch eine kleine Idee für die Eröffnung, sagt er. Etwas ganz Neues. Etwas, das Sie noch nie gesehen haben. Etwas, das Sie noch nie gemacht haben. Etwas ganz und gar Einzigartiges!

Rödel blickt sich am Tisch um. Frau Meier-Feinspitz umfasst ihren Stift mit beiden Händen. Ich könnte mir vorstellen, sagt Rödel feierlich, dass wir nach der Big Band in den Pool springen. Wir marschieren hinter der Big Band her, wir folgen der Big Band durch das Tor, auf dem die Surfer surfen, wir gehen im Takt, wir sind beschwingt von der Musik, wir marschieren hinter der Big Band unter dem Beifall der Menge durch die Badelandschaft, wir marschieren hinter der Big Band in die Schwimmhalle hinein, auf dem Sprungturm stehen der Herr Bundespräsident und die Frau Bundeskanzlerin, der Herr Bundespräsident und die Frau Bundeskanzlerin halten ein rotes Band, der Herr Bundespräsident und die Frau Bundeskanzlerin winken uns zu, wir marschieren weiter und greifen uns an die Brust. Wir verbeugen uns, während die Musikanten beginnen, sich zu entkleiden. Das geht schnell, die Bläser sind schon so weit, die Trommler folgen, die Big Band hüpft in das Wasser, man sieht ihnen noch nach, da knöpfen wir schon selbst, da ziehen wir uns mir nichts, dir nichts aus, die Jacke, die Hose, die Strümpfe, unter Anzug und Kleid erscheint unsere Badekleidung, da liegen vier Kleiderstapel neben Pauken und Trompeten auf den Liegestühlen. Und dann nehmen wir Anlauf.

Rödel macht eine Pause. Er blickt zu den Badesachen auf dem Konferenztisch. Er sieht uns an und strahlt.

Wir nehmen Anlauf und springen zu den Musikern in den Pool.

Und wenn wir Glück haben, sagt Rödel mit einem bedeutungsvollen Unterton in der Stimme, dann springt der Herr Bundespräsident vom Sprungturm hinterher.

Ich bin, Rödel flüstert eindringlich, sogar fast sicher, dass der Herr Bundespräsident das tut.

Rödel richtet sich auf und deklamiert. Der Präsident, die Band, der Rat, die schwimmen in dem neuen Bad!

Das, liebe Kollegen, ist eine Schlagzeile!

Die ersetzt Fanfaren.

Das ist ein Bild, sagt Rödel und hebt den Blick zur Decke des Sitzungszimmers, das nie vergessen wird! Ein Bild, dass Sie, das die Menschen, die uns zuschauen, das unsere Stadt fortan begleitet!

Noch auf der Bahre sind die Badesachen dabei.

Selbst nach unserem Tod wird man sagen, das ist einer von denen gewesen, die damals hinter den Bläsern und den Trommlern in den Pool gesprungen sind.

Rödel schweigt erneut und schaut uns erwartungsvoll an.

Saucool, sagt Huse und tätschelt seine Shorts.

Ostrowskis Gesicht hat noch mehr Falten als sonst. In seinen

Augen liegt Verachtung. Ostrowski hat sich hinter seinen Falten versteckt.

Ein Bild, das nie vergessen wird, sage ich.

Darüber würde ich gern noch einmal sprechen, sagt Frau Meier-Feinspitz mit ihrer eher unscheinbaren, aber genauen Stimme.

Müssten nicht zuerst die Frau Bundeskanzlerin und der Herr Bundespräsident das rote Band durchschneiden?, frage ich.

Sehr gern, sagt Rödel.

Er lächelt mich an. Ein warmer Schauer rieselt durch meinen Körper hindurch.

Gibt es noch etwas, das wir besprechen sollten?, fragt Rödel.

Er sieht sich um.

Wir sind noch nicht ganz fertig, sagt Straußer.

Nicht ganz fertig, fragt Rödel, womit?

Mit der Bauerei, sagt Straußer.

Rödel blickt auf die unberührte Aufsichtsratsmappe. Er sieht auf seine Uhr.

Rödel überlegt, er greift zur Mappe, lässt sie dann aber liegen.

Nun reden Sie mal keinen Unsinn.

Um nicht fertig zu sein, sagt Rödel, ist es jetzt zu spät.

Straußer glotzt Rödel an. Der beginnt, seine Sachen zu packen. Straußer will etwas erwidern, er öffnet den Mund. Rödel nimmt Straußer scharf in den Blick. Rödel sieht auf den Tisch, genau auf die Stelle, auf der Straußers Badehose liegen sollte. Straußer schweigt.

Wenn niemand mehr etwas sagen möchte, wenn alle Punkte zu Ihrer Zufriedenheit gelöst sind, wenn es nichts mehr zu besprechen gibt, sind wir fertig.

Die Sitzung ist geschlossen.

Straußer, denke ich, macht heute wirklich einen sehr unglücklichen Eindruck.

Fertig, sagt Rödel, fertig.

Schwarze Löcher
im Staatshaushalt

So viele Sommer haben wir in dem Haus am Arno verbracht, aber auch mit der mir seit meiner Kindheit innewohnenden Zuneigung lässt sich nur schwerlich behaupten, dass die südeuropäischen Bürger besonderes Interesse am Wohlergehen ihres Landes zeigen. Eine Studie sagt, wenn die Freiberufler ihr Einkommen pflichtgemäß versteuern würden, wäre ein Sparprogramm in Athen überflüssig. Offenbar sind die Einkommen von Ärzten, Anwälten, Beratern, Ingenieuren und im Tourismus nahezu doppelt so hoch wie in der Steuererklärung vermerkt.

Auch Griechenland ist schön. Im Frühjahr erblüht auf dem Peloponnes die Natur. Hinter den bunten Wiesen Chalkidikis erhebt sich der Berg Athos. Es braucht seit jeher eine besondere Erlaubnis, um das ehrwürdige Kloster zu betreten.

Gäste strömen herbei, die Restaurants und Geschäfte füllen sich. In der Altstadt und am Hafen ist jeder Tisch besetzt. Münzen blinken und Scheine knistern. Die Münzen und die Scheine wechseln den Besitzer. Der Gastwirt erhält sein Geld, die Kellner erhalten ihr Geld, die Lieferanten erhalten ihr Geld, die Geschäfte, die Vermieter und die Hersteller der Waren werden bezahlt.

Die Staatskasse bleibt leer.

Der Studie zufolge muss der griechische Staat in jedem Jahr auf rund 11 000 000 000 Euro Einnahmen verzichten. Das Sparprogramm soll das Land um 11 500 000 000 Euro entlasten. Dem Staat sind seine Einnahmen und Ausgaben offenbar gleichgültig. In kollegialer Solidarität wurde aktiven Beamten und Bankangestellten über Jahre wegen ihrer Arbeitsunfähigkeit Invalidenrente gezahlt. Sinn für Humor beweisen auch Blinde, die als Taxifahrer und Jäger tätig sind. Die Pflege von Akten ist in Griechenland ohnehin verpönt. Erst infolge des Streits um europäische Zahlungen kam heraus, dass mehr als dreihundert über hundertjährige Rentner längst gestorben sind. Die staatliche landwirtschaftliche Rentenkasse und einige ihrer Schwesterorganisationen zahlen seit Jahrzehnten an Tausende Tote. Die öffentliche Hand soll hierfür in den letzten fünfzehn Jahren ungefähr 5 000 000 000 Euro aufgewandt haben. Das ist traurig.

Auch auf Zypern ist die Lage nach wie vor kompliziert. Gerade wurde bekannt, dass das kleine Land bereits 9 000 000 000 Euro an sogenannten Target-Krediten und weitere 3 000 000 000 Euro zur Aufrechterhaltung der Liquidität erhalten hat. Europäische Politiker weisen darauf hin, dass es schon aufgrund der vielen Zahlungen in jüngerer Zeit unmöglich sei, Zypern fallen zu lassen. Die Systemrelevanz Zyperns stehe nach diesen Zahlungen außer Zweifel. Die Maßnahmen, mit denen die Insel gerettet werden soll, lassen sich in größeren Ländern nicht wiederholen. Erstmals gibt es Zahlen: Im Verhältnis zur nationalen Wertschöpfung vergleichbare Leistungen für Spanien und Italien würden zu Krediten in der Größenordnung von fünf Billionen Euro führen. Deutschland müsste davon ungefähr zwei Billionen Euro tragen.

Ungefähr.
Vorerst.

Nach aktuellen Meldungen führt außerdem die Mithaftung von Großanlegern zyprischer Banken zu viel geringeren Beiträgen als erwartet. Es wird immer deutlicher, was in den letzten Jahren geschehen ist. Internationale Finanzinstitute sollen seit 2010 geholfen haben, Geld aus Zypern abzuziehen. Seitdem absehbar war, dass die Insel in Schwierigkeiten kommen würde, hat man Hunderte Millionen weltweit in andere Finanzoasen transferiert. Noch in der Krise, während die zyprische Regierung über Hilfen Europas verhandelte, sollen Filialen zyprischer Banken in London geholfen haben, Konten im Mittelmeer leer zu räumen und auf andere Banken zu verteilen. Die zyprische Regierung soll von der Verschiebung des Geldes gewusst und geschwiegen haben, um die Transaktionen nicht zu behindern.
Die Verhandlungen der zyprischen Regierung mit den europäischen Partnern haben länger gedauert als erwartet. Ein Zusammenhang mit der Umbuchung des Geldes wird heftig bestritten.

Manchmal wünsche ich mir Hilfe. Es geht gar nicht um Konkretes. Ich kann auch nicht genau beschreiben, woran es mir fehlt. Es ist mehr so ein Gefühl, Hilfe täte mir gut.

Ich sehe über den Gang.
Meinsteiner macht einen aufgekratzten Eindruck. Er winkt mir zu. Meinsteiner grinst, sein Grinsen verschanzt sich in den Falten um seine Augen. Meinsteiners Grinsen wandert über die Nase in seinen rechten Mundwinkel.

Der verzieht sich.
Meinsteiner senkt den Blick und schreibt.
Meinsteiner setzt ab.
Und nickt.

Verspätung?
Gibt es nicht!

Nicht fertig?

Was soll das heißen, brüllt Rödel in die Leitung.

Schweigen. Die Telefonkonferenz dauert schon zwei Stunden.

Mit einem Schlag bin ich wieder hellwach.

Nun, sagt Straußer, wir sind an dieser Stelle etwas spät unterwegs.

Den Satz kenne ich doch. Durch den Hörer klingt Straußers Stimme noch tonloser als sonst. Das ist es, denke ich, während ich auf das Telefon blicke, ich kann Straußer auch deshalb nicht leiden, weil er so fachmännisch tut und dabei unberührbar bleibt, weil er weder Höhen noch Tiefen kennt.

Etwas spät unterwegs?

An welcher Stelle denn?, fragt Ostrowski.

Mit der Bauerei. Mit der Schwimmhalle, dem Garten und mit der Technik, sagt Straußer.

Ach so, sagt Huse.

Wie spät sind wir denn?, fragt Ostrowski.

Das weiß ich nicht genau, sagt Straußer.

Und ungefähr?

Das brauchen Sie gar nicht erst zu versuchen, brüllt Rödel dazwischen. Schluss damit! Das sage ich Ihnen jetzt gleich, Straußer, und jetzt hören Sie mir genau zu, hören Sie mir ganz genau zu, eine Verspätung ist ausgeschlossen! Ganz und gar ausgeschlossen! Merken Sie sich das, persönlich.

Wie spät, kann ich noch nicht sagen, meint Straußer.

Was ist denn geschehen?, fragt Ostrowski.

Na, sagt Straußer, die Umbauten, die Sache mit den Rohren im Garten, das Becken für die Heißdüsenmassage, das wir mit dem Becken für die Kaltdüsenmassage getauscht haben, der zweite Whirlpool, den wir ein wenig nach rechts außen versetzen mussten und dann im Anschluss, nachdem wir schon mit den Änderungen angefangen hatten, der Optik und der Vorfahrt wegen, der schöneren Vorfahrt wegen die leichte Verschiebung des Haupteinganges, inklusive der gerade installierten Pumpenanlage, inklusive der Surfer und der Technik für die Akustik. Das hat uns zurückgeworfen.

Ich meine, sagt Straußer, es ist ja schon so, dass die Sachen einmal gebaut worden sind und ein zweites Mal hinterher.

Wenn ich recht überlege, sagt Straußer, sind wir gar nicht spät unterwegs. Wir bauen alles doppelt und brauchen die doppelte Zeit.

Eigentlich sind wir schnell.

Dass wir doppelt bauen, sagt Straußer, kostet auch das Doppelte.

Einhundertneunundachtzig Planänderungen.

Immer, wenn die Sitzung des Aufsichtsrates zu Ende ist, gehe ich los, und der Bau beginnt irgendwo wieder von vorn.

Ich schlage Sie ungespitzt in den Boden, brüllt Rödel! So wie Sie da sitzen! In Ihren verfluchten Bauboden! In Ihre vermaledeiten Rohre! Ungespitzt, darauf können Sie sich verlassen! Und das flutscht, das können Sie sich noch gar nicht vorstellen! Straußer, Sie gehen ab wie Zäpfchen! Wir haben jahrelang auf Zeitpläne und Unterzeitpläne, auf Detailzeitpläne und weiß der Teufel was für Pläne gestarrt. Wir haben uns die Augen wund geguckt an Ihren unleserlichen, an Ihren unverständlichen, an Ihren völlig unleserlichen und unverständlichen Zeitplänen, diesem Bla, diesem Blabla, diesem Blablabla, jahrelang haben wir Ihrem Gerede, Ihrem lahmarschigen Fachgelaber zugehört. Liniengekritzel, Beratermalerei, kritische Pfade, dass ich nicht lache!

Und jetzt werden wir nicht fertig?

Das wollen Sie uns sagen?

Ich meine, sagt Straußer mit seiner tonlosen Stimme, man darf nicht vergessen, der Haupteingang war bereits abgenommen.

Ich stelle mir vor, wie Straußer in seinem Büro am Schreibtisch sitzt. Der Schreibtisch ist unter Papieren begraben. Straußer wirft seinen farblosen, dahinter anklagenden, dahinter verschlagenen Hundeblick auf das Telefon.

Dazu, zählt Straußer weiter auf, es klingt, als wollte er eine Bestellung in einem Baumarkt abgeben, kommt noch der Ärger mit dem Keller, der Ärger mit den Nordseewellen, der Ärger mit den Südseewellen und der Ärger mit den Ostseewellen. Und ein Paket Tesa Film, denke ich.

Alexander Graham Bell hat vorgeschlagen, sich am Telefon mit Ahoi zu melden, sagt Huse.

Und, sagt Straußer, dass sich das ganze Zeug, dass sich das Wasser und die Beduftung der Nordseewellen, der Südseewellen und die Beduftung der Ostseewellen wider alle Logik immerzu miteinander vermischen.

Das ist ja bodenlos.

Keiner kann uns erklären, was zu tun ist, niemand hat so etwas schon gebaut.

Es ist traurig, sagt Huse. Unsere Sünden werden nicht vergessen.

Und nicht verziehen, denke ich. Es würde mich nicht wundern, wenn Huse seine Badehose vor sich liegen hätte. Huse sitzt in seinem Büro, er hat die Füße auf den glänzenden, polierten, vollständig aktenfreien Mahagonitisch gelegt und tätschelt die bunten Shorts.

Dass wir, dass Sie nicht rechtzeitig fertig werden, das können Sie sich aus dem Kopf schlagen, sagt Rödel. Vergessen Sie es einfach. Diese Aussage gibt es nicht. Die gab es nicht, die hat es nie gegeben.

Ich starre auf das Telefon. Irgendwie hatte ich schon länger das Gefühl, dass die Sache mit dem Zeitplan schiefgeht. Ich hätte nicht erklären können, woran es liegt, aber dass es schiefgehen würde, habe ich gespürt. Was wohl die anderen jetzt machen? Schreibt Frau Meier-Feinspitz eine Notiz? Die Qualität der Verbindungen ist heute so gut, dass man nicht einmal mehr ein Rauschen hört. Ich warte. Keiner spricht. Ich frage mich, ob die Konferenzschaltung zusammengebrochen ist.

Ich horche in die Leitung.

Die Macht
der zweiten Reihe

Die Politik ist überall, sie lässt mich kaum los. In der Woche ist mein Tag bis zum Rand mit Terminen gefüllt, am Abend, in meinem Apartment, lese ich Akten, schaue Nachrichten und denke nach. Es hilft auch nicht, auszugehen. Ich habe keine Ahnung, ob es in anderen Berufen auch so läuft, aber sowie einer erfährt, dass ich Politiker bin, hagelt es Meinungen und Fragen.

In der Politik weiß ja jeder irgendwie Bescheid.

Ich sitze an meinem Küchentisch, vor mir die gestern geöffnete Weinflasche. Mein Kopf ist übervoll. Ich denke an die Badelandschaft. Ehrlich gesagt, habe ich mich nicht darum beworben in den Aufsichtsrat eines riesigen Bauprojektes zu kommen. Rödel hat mich gefragt. Die Telefonkonferenz ist vorhin tatsächlich zusammengebrochen, aber auch ohne genau zu wissen, was geschehen ist, bin ich sicher, dass es Ärger geben wird. Und auch sonst gibt es Themen genug. Als ich in die Politik gegangen bin, war mir nicht klar, was alles man von den Abgeordneten verlangt. Mir ist nicht klargewesen, wie viele Entscheidungen das Parlament zu treffen hat, wie sehr Gesetze und Regelungen das Leben der Gemeinschaft prägen. In den ersten Jahren habe ich Tag und Nacht gearbeitet, ohne das Gefühl loszuwerden, zu wenig zu begreifen.

Erst Meinsteiner hat mir geholfen zu verstehen, wie unser Geschäft funktioniert. Meinsteiner ist einer vom alten Schlag. Er kommt leise daher. Er weiß Bescheid. Meinsteiner ist kein Held. Aber Meinsteiner ist Macht. Meinsteiner ist die Macht gewesen, bevor die Krise begann. Dabei gehört Meinsteiner nicht zu denen, die uns in den Nachrichten begegnen. Nichts drängt ihn vor die Kamera. Meinsteiner ist kein Mann für vier Sätze in dreißig Sekunden. Er ist keiner, der im Scheinwerferlicht lächelt.

Ich glaube, in den vielen Jahren ist überhaupt noch kein einziges Mal ein Photo von Meinsteiner in einer der Hauptstadtzeitungen zu sehen gewesen. Wobei es durchaus Gelegenheiten gegeben hätte. Selbst seine größten Widersacher hätten es Meinsteiner gegönnt, dass er in der Öffentlichkeit Aufmerksamkeit findet. Einer, der so klug ist. Einer, den der eigene Nutzen nicht schert. Meinsteiner hat nicht gewollt.

Meinsteiners Ehrgeiz ist die zweite Reihe. Bei jeder Gelegenheit tritt Meinsteiner in die zweite Reihe zurück. Ich schenke mir noch ein Glas Wein ein und denke darüber nach, warum Meinsteiner das tut. Liegt es daran, dass er nicht gut spricht? Als ich Meinsteiner fragte, hat er gelacht. Meinen Wahlkreis, sagte er, gewinne ich direkt. Wie ist es dann mit Chatten und Bloggen? Meinsteiner lachte wieder und winkte ab. Meinsteiner meinte, Chatten und Bloggen interessierten ihn nicht. Es sei doch wohl Zeichen genug, dass die elektronische Kommunikation und er in verschiedenen Jahrhunderten geboren worden sind.

Meinsteiner meint, er stirbt in Würde aus, wie er ist.

Meinsteiner kümmern große Auftritte nicht, er will, dass sich Dinge bewegen. Meinsteiner spinnt Fäden, er spannt sie an.

Meinsteiner legt unsichtbare Bänder durch Raum und Zeit.

Im Bundestag kennt jeder Meinsteiner. Das Urgestein nennen sie ihn, und sie sagen es mit Respekt.

Meinsteiners Kaffeerunden sind legendär. Meinsteiner versammelt seinesgleichen. Obwohl ich zu wissen meine, dass er mich schätzt, gehöre ich seiner Kaffeerunde nicht an. Ein einziges Mal hat er mich gefragt. Ich höre noch seine Einladung, ihn zu begleiten. Da war so ein gewisser Ton. Nicht kühl. Ein wenig fremd. Selbst für Meinsteiner zu wenig Empathie. Meinsteiner hat so gesprochen, dass sich meine Absage von selbst ergab.

Sogar die Großen schlendern immer wieder an Meinsteiners Tisch vorüber. Sie bitten ihn à deux in ihr Büro, bevor sie sich in der Öffentlichkeit zu Wort melden. Die Großen erkundigen sich bei Meinsteiner nach dem Möglichen. Sie fragen Meinsteiner, was am Ende steht.

Meinsteiner mag unsichtbar sein, aber er ist da. Ein halber Satz, ein kluger Schritt. Wer Meinsteiner kennt, hört seine Gedanken in den Worten anderer aufblitzen.

Ich schwenke das Rotweinglas und stelle mir vor, was Meinsteiner jetzt tut. Ich denke, Meinsteiner sitzt in seinem Sessel und verfolgt die Nachrichten. Läuft es wie erwartet? Der Bildschirm spiegelt sich in seiner randlosen Brille.

Ich würde gern wissen, ob Meinsteiner lächelt, wenn er allein ist.

Mir tut Meinsteiner gut. Ist es nicht so, dass wir Menschen suchen, die sind, wie wir nicht sein können? Menschen, die uns helfen, mehr aus dem eigenen Leben zu machen? So ein Mensch ist für mich Meinsteiner.

Ein Photo, das es nicht gibt: Meinsteiner, Rödel, in der Mitte ich.

Meinsteiner und Rödel betrachten sich lieber aus der Ferne. So richtig geheuer sind sie einander nicht. Was macht denn Ihr umtriebiger Freund, fragt Meinsteiner von Zeit zu Zeit. Meinsteiner weiß natürlich, dass man Leute wie Rödel braucht, wenn sich etwas bewegen soll. Rödel liebt Meinsteiners List und fürchtet seine unnachgiebige Klugheit. Meinsteiner und Rödel: einer, der Intelligenz und Wiedervorlage miteinander verbindet, einer, der mutig nach vorn stürmt. Ein Photo, das es nicht gibt. Ein Bild, das mich freut.

Morgen muss ich früh raus. Wo ist die Fernbedienung? Ich lehne mich zurück. Auf den Punkt. Spätnachrichten.

Das dicke Ende
kommt bestimmt

Rödels Stimme klingt so klar, als säße er neben mir. Sie hätten etwas sagen müssen. Sie hätten uns davor warnen müssen, dass es knapp werden könnte.

Das habe ich doch, sagt Straußer. Das habe ich doch immer wieder getan.

Straußer spricht jetzt weinerlich.

Aus dem nächsten Schweigen höre ich Rödel heraus.

Überlegen Sie, sagt Rödel, überlegen Sie einfach, wen wir alles eingeladen haben. Überlegen Sie, welchen Aufwand wir betreiben! Die vielen Schreiben. Das Protokoll, die Abstimmung mit den Büros. Die Sicherheit. Die Zelte. Das Catering. Die Musik, der Ablauf, die ganze Vorbereitung des Festes. Alles schon bestellt und organisiert. Dazu die Reden, die geschrieben, Reisen, die geplant worden sind. Und denken Sie an die Zusagen! Der Herr Bundespräsident und die Frau Bundeskanzlerin! Die Ministerpräsidenten und Minister, die Kollegen aus den Parlamenten! Die zahlreichen Gäste aus der ganzen Welt. Sogar die japanische Botschaft schickt einen Gesandten! Die Leute kommen aus aller Herren Länder, um unsere Badelandschaft mit uns zu eröffnen! Alles läuft wirklich so, wie wir es geträumt haben. So, wie wir es wollten!

Das wollen Sie riskieren?

Von der Presse mal ganz zu schweigen.

Rödels Stimme nimmt wieder einen drohenden Ton an. A propos Presse. Denen wollen Sie vier Wochen vor der Eröffnung erklären, dass wir nicht rechtzeitig fertig werden? Vier Wochen vor der großen Party? Nachdem ich immer und immer wieder, immerzu, geradezu gebetsmühlenartig erklärt habe, wir hätten alles im Griff?

Straußer, vier Wochen vor Anpfiff!

Die halten uns für verrückt!

Die denken, wir sind mit dem Klammerbeutel gepudert.

Was sollen die denn sonst denken?

Straußer, ruft Rödel, das wäre ein Skandal!

Für einen Moment ist es wieder still.

Ein Skandal, sagt Huse andächtig, das wird ein Skandal.

Ich befinde mich in meinem Büro. Dieses Mal ist das Gespräch auf den Lautsprecher gestellt. Ich lehne mich zurück. Herrlich an Telefonkonferenzen ist, dass man ungeniert aus dem Fenster gucken kann. Die Telefonkonferenz ist die ideale Lösung für Sitzungen, zu denen man ohnehin nichts Gescheites beizutragen vermag. Ich bin mir sicher, dass es bei jeder Telefonkonferenz Leute gibt, die ihre Teilnahme nur deshalb zugesagt haben, um endlich wieder einmal die Zeit zu haben, in Ruhe und ungeniert aus dem Fenster zu schauen.

Ich frage mich, was Ostrowski gerade tut. Ich kannte mal einen Mann, der machte während der Telefonkonferenzen seine Post. Immer, wenn ein Termin anberaumt war, rieb er sich die Hände, er saß bequem und die Sekretärin brachte lächelnd und unaufgefordert einen Tee, dazu eine rote Unterschriftsmappe, dicht mit Vorgängen belegt. Die Telefonkonferenz begann, der Mann las und las. Er trank seinen Tee und studierte seine Unterlagen. Wenn er nach dem eigenen Gefühl zu lange gelesen und zu wenig gesagt hatte, sprach er in irgendeine Pause hinein.

Ja, wirklich? Sind wir da ganz sicher? Können wir das wirklich schaffen?

Ich gehe jetzt erst einmal auf die Toilette. *Ja wirklich*, denke ich und sehe in den Spiegel, passt eigentlich immer. Derjenige, der zuletzt gesprochen hat, setzt erneut an und versucht, das bereits Gesagte besonders gut zu begründen. So weiß man wieder, worum es geht, und kann weiterlesen.

Ja, wirklich.

Als ich von der Toilette zurückkomme, spricht Rödel noch immer. Rödel hat das Ganze an sich gerissen. Rödel hatte die Idee. Rödel hat die Sitzungen geleitet, wie es ihm gerade passte. Ich denke, Rödel muss jetzt auch dafür geradestehen, was bei dem Bau herauskommt.

Der Blick aus meinem Büro ist viel schöner als aus unserem Sitzungssaal.

Sicher sitzt die Meise irgendwo da draußen auf der Telefonleitung.

Ich bin der Auffassung, sagt Rödel würdevoll, es kommt nicht in Betracht, dass wir nicht rechtzeitig fertig werden.

Ich meine, wir sollten die Baustelle besichtigen, sagt Frau Meier-Feinspitz mit ihrer eher unscheinbaren, aber genauen Stimme.

Alles
ist bunt

Endlich habe ich verstanden. Unsere Badelandschaft ist bunt, Europa ist bunt, Europa ist eine Badelandschaft, Europa ist eine riesige, bunte Badelandschaft. In Europa kann man baden, in Europa kann man reisen, in Europa kann man Kirchen besichtigen und Marktplätze und Museen dazu. In Europa gibt es wunderbare Restaurants. In Europa gibt es Sonnencreme, Sonnenschirme und Regenschirme und Rettungsschirme. Die Sonnenschirme und die Regenschirme schützen uns vor Sonne und Regen, die schützen uns vor Wetter und Wind. Die Rettungsschirme retten. In Europa gibt es Banken zum Sitzen und Banken mit Geld, Banken ohne Geld gibt es auch. Wir bleiben entspannt. Immer, wenn das Geld alle ist, drucken wir neues und bringen es am Sonntag mit einem Hubschrauber vorbei. Immer, wenn die Sonnencreme alle ist, produzieren wir neue und bringen sie am Sonntag mit einem Hubschrauber vorbei. Europa, das ist ein Kontinent an der Sonne.
Die Sonne scheint an jedem Platz.
Das Geld kommt ofenwarm.
Die Sonne wärmt uns.
Mit ewiger Kraft.
Jeden Tag.

Herrlich!
Herrlich, dass Hubschrauber fliegen!
Herrlich, wenn man endlich aufgehört hat, sich zu sorgen!

Nichts hält die Sonnencreme und das Geld in Europa auf. Die Hubschrauber fliegen von Land zu Land, die Hubschrauber fliegen von Insel zu Insel, die verteilen die Sonnencreme und das Geld. Die Menschen blicken in den Himmel und warten auf das vertraute Geräusch. Sie stehen auf der Straße, sie hören die Rotoren und freuen sich. Die Menschen begrüßen die Piloten mit Freundlichkeit. Die Piloten bekommen eine Tasse Kaffee.

Der Kaffee ist gut.
Sie trinken ihn im Schatten der Platanen.

Ich sitze im Plenum und lese Nachrichten. Die Aufnahme in meinem Tablet zeigt eine scharf bewachte Fahrzeugkolonne, die in der Nacht auf Zypern angelandetes Geld in eine Bank bringt. Für eine Sekunde weiß ich nicht, worum es geht. In meinem Kopf ist vor einigen Tagen etwas Merkwürdiges geschehen. Die Dinge, über die wir entscheiden, sind in mir vollständig miteinander verklebt. Ich bin ein allseits zuständiger Politiker, aber ich halte nichts mehr auseinander. Alles ist eins. Alles erscheint mir wichtig und unwichtig zugleich. Alles erscheint mir wahr und unwahr zugleich. Alles ist groß und klein. Alles steht in den Papieren, die ich lese und ablege. Dann kommen neue Papiere, ich lese sie und lege sie ab.
Die Badelandschaft und die Rettungsschirme; was macht das schon für einen Unterschied?

Was Europa betrifft, rege ich mich jetzt weniger auf. Anfangs habe ich geglaubt, dass so riesige Zahlungsströme gegen die Natur verstoßen. Gewissermaßen. Dass eine Abgabe von Werten in dieser Dimension nicht richtig sein kann. Nicht gesund. Dass diese Verschiebung der Balance zu Brüchen führen muss, auch wenn wir sie noch nicht sehen. Vieles ist heute in der Finanzwirtschaft miteinander verbunden, die Dinge halten sich unsichtbar die Waage, woher sollen wir wissen, was als Nächstes geschieht? Ich wollte das Risiko gering halten. Es war mehr ein Instinkt. In einer norddeutschen Kleinstadt legt man den Kindern die Milliarden ja nicht in die Wiege. Vielleicht begrenzt auch der Umstand, dass ich an jedem Sonntag mein Taschengeld auf Heller und Pfennig, mit Soll und Haben in einem kleinen Büchlein abrechnen musste, mein Verständnis für unsere heutige Welt. Inzwischen hoffe ich, dass ich mich irre und dass sich unser Wirtschaftssystem von selbst beruhigt. Vielleicht geht es ja tatsächlich nur um Geld; unsere Gesellschaft und die Unternehmen, Arbeitsplätze und Wohlstand bleiben so stabil, wie sie sind.

Die Regierung geht voran, wir gehen hinterher.

Meinsteiner bleibt auch jetzt, während die ersten Zahlungen erfolgen, ruhig. Was hat er noch gesagt, als wir neulich über Zypern sprachen? Dass es irgendwie weitergeht. Wir kommen schon noch dahinter. Dass ich mich derweil doch um die Sachen kümmern soll, die man brauchen kann. Das ist nicht leicht. Ich blicke hinüber. Meinsteiner sieht auf. Er erwidert meinen Blick unbewegt.

Jetzt pirschen sich
auch noch
die Medien heran

Eine Zeitung berichtet, dass die Eröffnung der Badelandschaft am Berliner Schlossplatz verschoben werden muss. Insidern zufolge sieht sich der Aufsichtsrat mit einer Lüftungsanlage konfrontiert, die einfach nicht tut, was sie tun soll. Die Zentralgeräte zur Entfeuchtung der von achtundvierzig prächtigen Säulen getragenen und mit zwei zehn Meter hohen Sprungtürmen ausgestatteten Schwimmbadhalle arbeiten zwar völlig geräuschlos, aber keinesfalls problemlos. Dem Vernehmen nach treten bereits im Umluftbetrieb beachtliche Schwankungen auf. Die Zeitung berichtet, die Luft sei von Zeit zu Zeit plötzlich wie nach einem tropischen Regen von Wasser durchtränkt. Ein Bad mache bei dieser Luftfeuchtigkeit kaum noch Sinn. An anderen Tagen schmecke bereits der Kaffee in der Einkaufswelt neben der Schwimmbadhalle nach dem Jod und Salz nördlicher Meere. Die Badelandschaft am Schlossplatz ist nach Ansicht des Blattes ein nicht nur höchst komplexes, sondern auch ein übermäßig teures Bauvorhaben.

Gemäß einer Umfrage überlegen die Berliner schon lange, warum sie in der Mitte der Stadt eine Badelandschaft brauchen. Die Mehrheit meint, dass seitwärts des Schlossplatzes doch niemand wohnt und dass die in den Bezirken bereits vorhandenen Bäder ihren Bedarf vollständig abdecken. Der Zugang sei leicht und ermögliche das Schwimmen von früh bis spät. Für bereits bestehende Anlagen fehle es augenfällig allseits an Mitteln für eine angemessene Erhaltung.

Ein externer Berater, heute nicht mehr in der Stadt beschäftigt, soll bereits vor einiger Zeit darauf hingewiesen haben, dass der Zeitplan zur Fertigstellung der Badelandschaft gefährdet sei.

Nach der Auffassung von Experten ist die komplizierte Konstruktion der Lüftungstechnik möglicherweise für die Probleme mitursächlich. Bauleiter Strauße hat in diesem Zusammenhang erklärt, es sei zwar eine Herausforderung gewesen, die Luftkanäle direkt oberhalb der Wasserlinie des Schwimmbeckens anzubringen. Luft habe zudem die Eigenschaft, in Richtung Decke zu ziehen. Lüftung und Ähnliches gehörten deshalb eigentlich nach oben. Das Eindringen von Wasser in die Luftkanäle, besonders während der Brandungsphasen, habe die Klimaingenieure zusätzlich überrascht. Die Probleme seien aber im Prinzip beherrschbar. Und – warum nicht einmal etwas Neues wagen? Die nach langer Beratung vom Aufsichtsrat gewählte Vorgehensweise biete eine bestechende, weltweit einzigartige, der Raumfahrt entlehnte und Raketendüsen ähnliche Optik, dazu die gute, ihrerseits ebenfalls weltweit einzigartige Berliner Luft.

Strauße hat weiterhin ausgeführt, dass die Entfeuchtungstechnik in einem Schwimmbad natürlich von besonderer Bedeutung sei. Die Gefahr von Feuern im Poolbereich liege dagegen bei null. Die nicht zu unterschätzende Problematik von Brandschutzanlagen trete deshalb erfreulicherweise hinter die aktuellen Herausforderungen zurück. Ein Vorteil der gewählten Konstruktion sei auch, dass die Anlage das Flair der Südseewellen und das Flair der Nordseewellen und das Flair der Ostseewellen bis hin zu den Duschen verstärke.

Die Südsee und die Nordsee und die Ostsee direkt hinter dem Rathaus, wo gebe es das schon? Berlin sei fabelhaft, sagte Straußer, und er, Straußer, sei stolz darauf, ein kleines, ein fabelhaftes Stück dazu beitragen zu dürfen.

Hip, hip Berlin!

Der Ausruf Straußers hat die Zeitung ein wenig überrascht. Sie weist darauf hin, dass es die Ostsee ja wirklich gibt, und dass die echte Ostsee kaum hinter der Stadtgrenze beginnt. In früheren Jahren habe man die Ostsee sogar als Berlins Badewanne bezeichnet. Die Zeitung fragt sich, was Südsee und Nordsee am Schlossplatz zu schaffen haben. Der Zeitung fällt auf die von ihr selbst gestellte Frage keine rechte Antwort ein. Sie meint, dass die Abstimmung zwischen Lüftungsingenieuren und Brandungsingenieuren womöglich unzureichend gewesen ist. Dafür spreche auch, dass man die externe Bauüberwachung vor einiger Zeit vollständig gefeuert habe. Der Aufsichtsrat hatte damals erklärt, so etwas koste nur unnötig Geld. So etwas brauche man in Berlin nicht. Die mit der Bauleitung verbundenen Aufgaben wollte der Aufsichtsrat damals durch den Bauleiter Straußer und sein kompetentes Team wahrnehmen lassen. Der Aufsichtsrat, so hatte sein Vorsitzender Rödel gemeint, die Aufsicht des Aufsichtsrates sei zudem selbst ein fester Pfeiler des Bauwerkes, vielleicht, so Rödel, sogar sein verlässlichstes Stück.

Der Bericht erklärt, dass Rödel in der Vergangenheit stets betont habe, einer rechtzeitigen Eröffnung stehe nichts im Wege. Die aktuelle Entwicklung sei besonders erstaunlich, nehme man in den Blick, dass in den letzten Wochen bereits über tausend Einladungen für die Eröffnungsfeier versandt und zahlreiche Vorleistungen erbracht worden seien. Sogar die Bundeskanzlerin und der Bundespräsident sollen ihr Kommen zugesagt haben.

Der Aufsichtsrat zeigt sich von der jüngsten Entwicklung überrascht. Trotz einer Vielzahl von Sitzungen und Unterlagen habe man ihn erst jetzt über die Probleme unterrichtet. Rödel hat in einem Hintergrundgespräch durchblicken lassen, dass ihn die unzureichende Informationspolitik Straußers enttäusche. Rödel, der die Badelandschaft in den letzten Jahren immer stärker auch zu seinem persönlichen Anliegen gemacht hatte, sagte, er habe Straußer immer wieder gefragt, ob eine rechtzeitige Fertigstellung gewährleistet sei. Straußer habe dies stets bejaht.
Rödel sagt, er habe Straußer vertraut.
Rödel hält trotz der aktuellen Entwicklungen an Straußer fest. Insidern zufolge erwägt der Aufsichtsrat jetzt eine teilweise Eröffnung der Badelandschaft. So könnte das Becken lediglich halb mit Wasser gefüllt und nur ein Sprungturm freigegeben werden. Eine Inbetriebnahme der Hälfte der Schwimmbadbahnen, links oder rechts, sei problemlos machbar. Ob links oder rechts, sei selbstverständlich eine Entscheidung der Politik. Auch Gärten und Grotten und Whirlpools stünden, wenngleich mit eingeschränkter Wasserversorgung, zur Verfügung.

Alle Liegestühle sind schon da.

Um den technischen Problemen trotz einer teilweisen Eröffnung zu Leibe rücken zu können, müsste allerdings der Umkleidebereich auf die Terrasse verlagert werden. Der Umbau wäre nach Einschätzung der Geschäftsleitung für den vergleichsweise eher geringen Preis von drei bis sechs Millionen Euro zu bewerkstelligen. Während der Schwimmsaison fällt der Kleiderwechsel an frischer Luft nach Auffassung der Geschäftsleitung leicht. Mit Blick auf die gemeinsame Nutzung der Räumlichkeiten von Männern und Frauen hoffe man auf die viel gepriesene Berliner Toleranz. Die Sommerbäder stünden aufgrund knapper Mittel ohnehin nur für vier bis fünf Monate zur Verfügung.

Die Zeitung vermutet, eine Teileröffnung solle davon ablenken, dass bis zum Abschluss der erneuten europaweiten Ausschreibungen, bis zum Abschluss der Bauarbeiten und einer vollständigen Inbetriebnahme der Badelandschaft noch Jahre, oder, ja, womöglich ein Jahrzehnt verstreichen könnte. Vielleicht sei die Eröffnung eine Aufgabe der nächsten Generation. Der Aufsichtsrat will den Ursachen der neuen Entwicklung konsequent und ohne Rücksicht auf Befindlichkeiten nachgehen. Er beabsichtigt sogar, die Schwimmbadhalle in Kürze im Rahmen eines Termins vor Ort selbst in Augenschein zu nehmen.

Wohin deuten
die Zeichen?

Der Streit um die Finanzierung südeuropäischer Staaten lässt nicht nach. Ganz gleich, worum es in den Sitzungen geht, am Ende reden wir über die Rettungsschirme.

Die Lage ist kompliziert, die Meldungen sind wieder einmal unübersichtlich. Die europäischen Finanzminister kritisieren unzureichende Reformbemühungen der griechischen Regierung. Der IWF-Verantwortliche erklärt dagegen, mit Blick auf die Reformen habe man bedeutende Fortschritte gemacht. Es soll Überlegungen geben, die nächste Kredittranche an Griechenland in Raten anstatt, wie verabredet, als Summe auszuzahlen. Jede Rate soll davon abhängig sein, dass die vereinbarten Reformschritte vollständig umgesetzt worden sind. Eine Übersicht, wie viel Prozent der verabredeten Maßnahmen bisher realisiert werden konnten, ist nicht bekannt. Die griechische Öffentlichkeit geht von einem weiteren Hilfspaket aus. Ihr Finanzminister äußert sich optimistisch, dass es schnell zu einer Einigung kommt.

Nach wie vor sind die Lasten in Griechenland ungleich verteilt. Angehörige der niedrigen Lohngruppen, zum Beispiel im Hotelgewerbe, arbeiten unter harten Bedingungen. Die saisonale Arbeitslosenhilfe, saisonale Arbeitslosigkeit ist auf den

Inseln im Winter nahezu unvermeidbar, soll erheblich reduziert werden. Reformen wie die Erhöhung der Mehrwertsteuer treffen einfache Leute besonders hart. Reiche Bürger und große Unternehmen zahlen in Griechenland nach wie vor wenig Steuern.

In Brüssel heißt es, erst in einer Telefonkonferenz im Laufe der Nacht könne entschieden werden, wie es mit Blick auf die Kredittranche weitergeht. Zeitungen spekulieren, dass sich die großen Länder der Eurozone längst darauf verständigt haben, die Hilfszahlungen in der ursprünglich vereinbarten Weise fortzusetzen. Ein Streichen oder Kürzungen der Hilfszahlungen würde dazu führen, dass Griechenland sofort zahlungsunfähig wäre. In der Vergangenheit gewährte Kredite müssten abgeschrieben werden. Griechenland macht von diesem Argument als Druckmittel Gebrauch.

Die Auseinandersetzungen in Portugal sind heftig. Führt das Land seinen Sparkurs nicht fort, steht Europa vor zusätzlichen Problemen. Die Troika meint, dass die portugiesische Verschuldung trotz der bisherigen Reformanstrengungen weiter steigen wird. Ein Generaldirektor hat geäußert, der Europäischen Union gefalle die Instabilität Portugals nicht. Die vollständige Rückkehr des Landes an den Finanzmarkt und seine Finanzierung ohne europäische Hilfe ist derzeit kaum zu erwarten.

In Irland hat sich die Lage stabilisiert. Die Entwicklung wird allseits gelobt. Irland erhält mehr Zeit, um Notfallkredite, die es zur Rettung seiner Banken eingesetzt hat, an die irische Notenbank zurückzuzahlen. Der Fristablauf liegt nun im Jahr 2053. Kürzlich wurde bekannt, dass ein führender Manager der Anglo Irish Bank europäische Kreditgeber verhöhnt und mit

Schimpfworten belegt hat. Die Behörden wissen seit einigen Jahren von den Schmähungen. Der Manager soll nun zur Rechenschaft gezogen werden.

Die Schulden Spaniens sind trotz einer beherzten Sparpolitik auf den höchsten jemals gemessenen Wert gestiegen. Auch die Jugendarbeitslosigkeit liegt nach wie vor auf Rekordhöhe. Eine Herabstufung der Bonität Spaniens in den sogenannten Ramsch-Bereich würde die Geldaufnahme zusätzlich verteuern. In Frankreich verdunkelt sich der Himmel weiter. Die zweitgrößte europäische Volkswirtschaft droht, zum größten Problem der Union zu werden. Das Land steckt in einer Rezession. Frankreich wird die Obergrenze von drei Prozent Neuverschuldung auf absehbare Zeit durchbrechen. Das Ansehen der französischen Regierung im Inland ist weiter gesunken. Nach Ansicht des französischen Industrieministers sind nicht unzureichende eigene Reformen, sondern widrige Umstände daran schuld, dass kein Fortschritt erkennbar ist. Der Minister bezieht sich besonders auf die deutsche Sparpolitik, deutsche Exporterfolge und den Kurs der Europäischen Zentralbank. Einzelne Ziele des Maastrichter Vertrages, die Basis der gemeinsamen europäischen Währung, hält Frankreich inzwischen grundsätzlich für falsch.

Auch zwischen Zypern und der Europäischen Union gibt es wieder neuen Ärger. Zyperns Präsident verlangt nun eine Lockerung der zur Haushaltssanierung vereinbarten Auflagen. Es gehe, so der Präsident, nicht darum, neu zu verhandeln. Zypern müsse nur mit Griechenland gleichbehandelt werden. Einzelne Europaabgeordnete sind der Ansicht, dass mit dem Beitritt Lettlands zur Europäischen Union ein neues Zypern droht. Lettland könnte versuchen, die Rolle Zyperns als Finanzplatz zu übernehmen.

Die Europäische Zentralbank hat die Politik des billigen Geldes noch einmal bekräftigt.

Auch die Zusage, in jedem erforderlichen Umfang Staatsanleihen zu kaufen, *whatever it takes*, bleibe bestehen. Die Europäische Zentralbank erwägt nach jüngsten Berichten außerdem zur Ankurbelung der Geldvergabe den Ankauf von seitens der Finanzwirtschaft gewährten Krediten. Der Handel mit in Paketen gesammelten Kreditverträgen hatte den Ausbruch der letzten Finanzkrise wesentlich befördert. Aufgrund der Bündelung verschiedener Sachverhalte hatte man kaum mehr beurteilen können, welche Papiere werthaltig und welche faul waren. Die Europäische Zentralbank beabsichtigt, auch von zyprischen und griechischen Banken gewährte Kredite aufzukaufen, obwohl sie aufgrund ihrer schlechten Besicherung als *Ramschpapiere* gelten.

Der Präsident der Europäischen Zentralbank hat erklärt, das Universum der potenziellen Käufe reiche bis zu einer Billion. Das heiße aber nicht, dass man das Geld vollständig ausgeben müsse. Kritiker fürchten, dass die Europäische Zentralbank nun völlig außer Kontrolle gerät und zu einer riesigen *Bad Bank* Europas werden könnte. Das neue Programm würde dazu führen, dass die Banken ihre geschäftlichen Risiken mit einem Wimpernschlag auf die Allgemeinheit übertragen.

Die Bundesregierung hat sich bereit erklärt, über alle bisherigen Zahlungen und Haftungsverpflichtungen hinaus südeuropäischen Staaten über die Kreditanstalt für Wiederaufbau eine Anschubfinanzierung zu gewähren. Was von einer Anschubfinanzierung umfasst wird, ist noch unklar. Auch Länder wie Italien, das aktuell nicht im Mittelpunkt der Krise steht, können das Programm nutzen.

Wenn wir gehen, können wir uns ändern

Niemals beginnen wir von vorn, doch wir müssen nicht stehen bleiben. Wenn wir uns für ein Ziel entscheiden, gewinnen wir die Gegenwart. Wenn mein Leben kraftlos wird, muss ich reisen. Ich verlasse die geordneten Wege, packe und durchschneide jene Nabelschnur, die mich an meine Gewohnheiten kettet. Die mich nährt.

Plötzlich bin ich so weit. Ich fahre los.

Dieses Mal ist es kein fernes Land. Dieses Mal kehre ich zurück.

Das letzte Geräusch. Die Tür fällt in ihr Schloss, ein satter Klang, der Drinnen und Draußen trennt. Ein zweites Mal, die Seiten verkehrt.

In jeder Rückkehr liegt Melancholie.

Das in der Zwischenzeit Geschehene entscheidet über das Maß an Freude und Traurigkeit. Wie lange ist es her, dass ich dort in den Wagen gestiegen bin? Über die Tangente geht es quer durch Berlin zur Autobahn. Jetzt, um die Mittagszeit, läuft der Verkehr ohne Probleme. Ich denke an den Anleger, ich erinnere Gesichter, die im klaren Licht der Küste leuchten. Mein Herz springt in die Höhe, als hinter dem Ernst-Reuter-Platz das erste Autobahnschild erscheint.

Nach der Freude ein Stich. Gestern habe ich angerufen. Natürlich können Sie kommen, hat Kathrin Knudson gesagt. Dann waren wir still.

Über den Stadtring geht es nach Westen. Berlin ist von Wäldern und Seen umgeben, sie bleiben zurück. Nach zwei Stunden überquere ich ein großes Autobahnkreuz. Die Hauptstadt liegt weit hinter mir, die Landschaft trägt immer mehr die Züge der Küste.

Ein Punkt, der sich bewegt.
Ein metallenes Tier auf einem grauen Band. Es kennt seinen Weg.

Ich spüre die Nähe des Meeres. Es gefällt mir, unterwegs zu sein. Westwärts ist die Straße frei. Die Leere tut mir gut. Wieder stehen die Felder prächtig, beschützt von wohlhabenden Höfen. Das Auto bleibt mit Hunderten anderen und einem Teil von mir auf einem Parkplatz zurück. Es reicht gerade für die letzte Fähre. Ich gehe an Bord. Den Rucksack habe ich gestern gekauft. Ich suche einen Platz am Rande des Oberdecks.

Das Oberdeck ist weiß, die Bänke sind weiß, die Möwen sind weiß, nur der Schornstein hat zwei farbige Streifen. Die Fähre tutet mächtig, als sie den Hafen verlässt. Sofort sind wir auf dem weiten Meer.

Ich liebe das Licht und das Weiß und das Blau. Die Seeluft ist großartig. Die rauen Rufe der Möwen reichen bis zum Himmel. Auf dem Oberdeck beginnen Familien zu picknicken. Männer und Frauen und Paare stehen an der Reling. Sie reden und schweigen. Ein richtiger Rucksackmann bin ich nicht, aber die Mitreisenden nehmen meine Gegenwart freundlich zur Kenntnis. Die Fähre schiebt sich kraftvoll durch das Wasser. Nach einiger Zeit erscheint die Hallig am Horizont. Langsam beginnt sie zu wachsen. Ich sitze, vom Wind geschützt, in der Nähe des mächtigen Schornsteins.

Ich sehe auf meinen Rucksack, warte noch einen Moment und knote ihn auf. Nachdem ich Meinsteiner erzählt hatte, dass ich für einige Tage verreisen würde, sah er mich ruhig an. Zurück auf die Hallig? Zurück zu der kleinen Insel, zu Schlick und Wiesen? Dorthin, wo Sie nach eigenen Worten so fürchterlich gestrandet sind?
Ja.
Meinsteiners Blick hielt ich stand.
Ich konnte sehen, wie es in seinem Kopf arbeitete. Meinsteiner dachte nach, er schien sich in Gedanken zu verlieren. Meinsteiner blickte an mir vorbei. Warten Sie, sagte er dann und ging mit schnellen Schritten zu seinem Platz. Meinsteiner kehrte mit einem braunen Umschlag zurück. Nichts Großes, mehr ein Spaß, sagte er mit einem ungewohnten, fast schüchternen Lächeln. Ich nahm den Umschlag. Wir standen voreinander. Wir sprachen nicht mehr.
Ich hätte Meinsteiner gern umarmt.
Ich sitze auf dem Oberdeck und muss lächeln. Hier draußen hat das Meer weiße Kronen. Ich fasse mir ein Herz und hole Meinsteiners Umschlag aus dem Rucksack hervor. Ich blicke nachdenklich auf das braune Papier. Ich öffne den Umschlag vorsichtig und ziehe einige Blätter heraus.
Seite eins enthält nicht mehr als eine Überschrift:

Meinsteiners Vermächtnis

Seite zwei und Seite drei sind fast vollständig mit Text gefüllt:

Nach fast vierzig Jahren greife ich zum Stift, um zu bekennen, was mich bewegt. Wenn der Leser über diesen Wechsel, heftig für einen Charakter wie meinen, verwundert wäre, wer verstünde das besser als ich? Das leere Blatt, sonst ein Versprechen guter Stunden, liegt lange ungenutzt auf dem Tisch. Was nun zu tun ist, fällt mir nicht leicht. Es stimmt schon, was die Leute sagen, ich bin keiner, der sich in den Blick drängt. Die leisen Töne sind meine Stärke, den Takt bestimme ich selbst. Mir erschließen sich die Dinge, indem ich mich in sie hineinversetze, wenn ich zuhöre, lese, Schritt für Schritt näher an das herangehe, worauf es wohl ankommen mag. Die Zeit hilft zu verstehen, sie erlaubt mir, das Gelernte hin und her zu schieben, bis es für mich Sinn ergibt. Ich bin ein Sammler, einer, der Informationen wie Gegenstände bei sich anhäuft, sie immer wieder nebeneinander betrachtet, ordnet und vergleicht. Mir sind die Umstände und die Beteiligten bekannt und natürlich die Unterlagen von der ersten bis zur letzten Seite. Ich habe alles im Kopf. Meine Waffe ist die Wiedervorlage, sie zeigt, woher wir kommen und wo wir stehen. Hat nicht Talleyrand gesagt, dass man die Zukunft im Sinn haben soll und die Vergangenheit in den Akten?

Die erste Reihe reibt sich auf, ich glaube seit Langem an die zweite. Sie vertändelt keine Zeit mit Eitelkeiten, arbeitet beständig und bringt die Themen mit der notwendigen Ruhe ins Ziel. Manche Kollegen sitzen wie ich schon seit Jahrzehnten im Parlament. Während Minister wechseln, bleibt die

Verwaltung. Ein Gespräch auf dem Flur, ein Griff zum Telefon, eine Verabredung, die nicht viele Worte braucht, man kennt seinesgleichen. Die zweite Reihe ist beharrlich, sie behält den Überblick und schreibt Vermerke, sie souffliert und bringt zwei zusammen, wenn es nutzt. Wird ein Gutachten beauftragt, so kennt sie vorher das Ergebnis. Vergessene Versprechen holt die zweite Reihe aus Computern und Registraturen hervor und legt sie beizeiten auf den Tisch.

Seit Jahren lebe ich auf diese Art, jetzt aber bleibt mir keine andere Möglichkeit, als mich zu äußern. Ob es daran liegt, dass sich unsere Gesellschaft und die Politik anders entwickeln als erwartet, oder ob sich mein Blick ändert, ist mir inzwischen gleichgültig. Auch wenn klar ist, dass ich mich weiterentwickeln, dass ich die von mir selbst ehemals gesetzten und behüteten Grenzen überschreiten muss, überrascht mich das Ausmaß der Veränderung. Wohlüberlegtes weicht vor wagemutigen und provisorischen Aussprüchen zurück, die Kenntnis der Vergangenheit, die mir bei meinem Verständnis der Gegenwart stets so gefällig war, verliert an Bedeutung. Genauso fremd, wie mir das Herausposaunen von Meinungen und Hypothesen ist, fühle ich mich, wenn ich in Gedanken versinke, und doch kommt mir seit Monaten nichts Besseres in den Sinn, als mit der Hilfe von Bleistift und Radiergummi die Zukunft neu zu erfinden. Ohne die Geschehnisse um mich herum noch zu beachten, ohne meine Ideen auf Widersprüche und Unmöglichkeiten zu prüfen, sitze ich im Parlament und lasse die Tage mit Träumerei, ja, Meditationen über die Welt verstreichen. Neulich hätte meine Kaffeestunde beinahe zum ersten Mal ohne mich stattgefunden. Vielleicht ist es das Alter, das uns zwingt, Gewohntes zu verwerfen, vielleicht hat das Leben Humor, und mein Verstand, den ich durch Übung wachzuhalten bemüht bin, von dem ich meine, dass er mein Wesen bestimmt, wird mit der Zeit wirr.

Vor einiger Zeit habe ich einen Artikel gelesen, in dem stand, dass sich die Finanz- und die Realwirtschaft immer weiter voneinander entfernen. Bereits im Jahr 2012 sollen die jährlichen globalen Transaktionen mehr als dreiundsiebzigmal so groß gewesen sein wie das weltweite Bruttoinlandsprodukt. Dieses Verhältnis macht deutlich, dass die Reisefähigkeit des Geldes seinen Charakter und sein Gewicht verändert. Unabhängig davon, was wir produzieren, rast es um die Erde. Die Finanzströme sind übermächtig geworden, sie bestimmen unser Verhalten, sie sind um uns herum wie die Luft. In der Welt von heute benötigen wir Geld, um zu atmen, unsere Werte, unsere Tugenden verlieren weiter und weiter an Bedeutung. Niemand weiß, wohin die Finanzströme fließen und was genau sie erzeugt.

Ein alter Freund hat mir vor langer Zeit gesagt, wer einen klaren Blick bewahren wolle, müsse sich an Großem orientieren. Daran halte ich mich. Die Paulskirche und unsere Verfassung, ihre Klugheit, ihre Ausgewogenheit haben meine Vorstellungen bestimmt. Gleich, wohin mein Denken führt, mit den Grundrechten und dem Vaterunser hebt es an. Woran ich glaube, lässt sich nicht verdrängen, daran muss sich messen lassen, was geschieht. In unserer Verfassung kommt die neue Macht des Finanzsystems, das sich von allem anderen löst, nicht vor. Unsere Verfassung geht von einem Menschen aus, der sich in Freiheit findet, mit eigener Kraft in die Gesellschaft einordnet und ihre Regeln prägt. So wollen

wir leben. Darauf kommt es an. Auf Banken und Finanzinstitute, die teilweise im Schatten bleiben, kommt es nicht
an. Natürlich kann niemand bestreiten, dass die Wirtschaft
ohne den Geldverleih und Transaktionen binnen Tagen
zusammenbricht, trotzdem müssen wir darauf beharren, dass
der Finanzmarkt nicht maßgeblich ist für die Welt. Ich ver-
weigere mich dem Gedanken, dass wir unser Wirtschaftsleben
zu ordnen hätten, wie es dem Finanzmarkt gerade gefällt.
Der Staat entscheidet über Gesetze, er bewahrt, was uns
wertvoll ist, er vertritt seine Bürger, der Staat muss unabhängig sein von Finanzinstituten. Unser Staat muss aufhören,
sich in diesem Ausmaß mit den Banken einzulassen und sich
über sie zu finanzieren.

Jeder hat seinen Weg, es ist nicht so, dass wir stets unseren
Idealen folgen können, wir finden uns auf eine Art in den
Tag ein und gewöhnen uns daran. So ergibt sich, wie wir
sind. Mit frisch gebrühtem Kaffee beginnt mein Tag, Sitzung
folgt Sitzung, mit Gesprächen geht er zu Ende. Mein Leben
ist das Parlament, darüber bin ich froh. Allerdings lässt sich
nicht bestreiten, dass mir die vergangenen Jahrzehnte anhaf-
ten. Manchmal kommt mir der Gedanke, dass der Abstand
zu den Jahren, die vergangen sind, viel größer ist als die ver-
strichene Zeit. Manchmal bin ich mir, so wie ich den Gang
entlangkomme, selbst nicht geheuer. Man sagt, die Alten
bleiben heutzutage jung, bei mir ist es anders; es gibt Tage,
an denen ich mich unter den Jungen alt fühle. Auch der Blick
in den Spiegel ist eine Wiedervorlage, in meinem Gesicht
häuft sich das von mir Gedachte. Ordnungsliebe, Staatstreue,
nun, eine gewisse Vorstadt-, womöglich eine Vorgartenoptik
kommen hinzu. Auch wenn es mir auffällt, dass die Kollegen

stärker auf ihr Äußeres achten, ist es nicht leicht, ihnen zu folgen. Mein farbloses Brillengestell besitze ich seit mehr als einem Jahrzehnt. Ein silbergraues, schmuckloses Metallband um die Gläser, ebensolche Bügel, es war kurz einmal modern und tut seinen Dienst. Von Zeit zu Zeit, vorzugsweise in der Mittagsstunde, wende ich die Brille in meiner Hand hin und her und überlege, aber es gibt keinen Grund, das Gestell auszutauschen. Kommt es wirklich darauf an, wie das, was wir auf der Nase haben, aussieht? Jeder, der mich kennt, weiß, Vertrautes lasse ich nicht gern zurück. Es ist kaum zu glauben, an wie vielen Orten Europas ich die guten Gläser hervorgeholt, wie viele Museen ich mit ihrer Hilfe gesehen habe. Wie oft bin ich zurückgeeilt, weil das abgestoßene Etui wieder einmal auf dem Tisch liegen geblieben war?

Aber ich schweife ab, mit Absicht vielleicht, wir wollen nicht weiter von Brillen sprechen. Auf der Stelle stehen zu bleiben, reicht nicht aus, für Selbstverliebtes fehlt der Platz. Das Nach-denken brauchte seine Zeit, ich habe sie mir genommen, ich weiß, dass es falsch und sinnlos ist, noch länger zu warten. Auch nach langem Kopfzerbrechen gibt es für mich keinen anderen Weg. Es hilft nichts, ich trete vor.

Hinter dem letzten Punkt hat Meinsteiner versucht, einen Sportler zu malen. Der Sportler ist ein Strichmännchen, das kniet wie vor einem Sprint. Das Strichmännchen ist dünn, es will umfallen. Das Strichmännchen sieht aus, als wäre es be-trunken. Neben der Figur befindet sich ein bebrilltes Gesicht. Meinsteiner.

Das Erdballministerium

Brotdosen, Flaschen und Kekspackungen sind über die Bänke des Oberdecks verstreut. Kinder lachen und rufen ausgelassen. Die Alten lesen oder sehen in die Ferne. Von den Wellen ist hier oben kaum etwas zu spüren, die Fähre stampft gleichmäßig voran. Ich blicke auf die Möwen dicht neben dem Schiff. Mit kräftigem Flügelschlag und lauten Rufen begleiten sie uns über das Meer. Der Blick bis zum Horizont ist wieder eine Überraschung. Die Weite tut mir gut. Dass da so viel Raum ist, gibt meiner Seele Auftrieb. Ich lese weiter.

Seite vier und Seite fünf:

In den besten Zeiten wird die Entwicklung der Gesellschaft von großen Zielen bestimmt. Die Beschreibung unserer Wünsche hebt unseren Blick, vergrößert das Maß und lässt uns fragen, wie wir das gemeinsame Leben gestalten wollen. Es gilt, mutig zu sein, Neues zu wagen, wir dürfen uns nicht erschrecken lassen, wenn das von uns Ausgedachte noch nicht existiert. Wir freuen uns auf Tage, die kommen, weil wir sie gestalten werden und an unsere Chancen glauben. Wofür sonst gäbe es die Politik? Es ist nötig, dass wir die Zukunft anpacken, dass wir aufhören, sie in Verwaltungsstrukturen eines vergangenen Jahrtausends zu bauen. Ich verlange, dass wir die Zukunft erfinden, hier also meine Vision: Ich fordere ein Erdballministerium. Wir brauchen ein Ministerium, mit dem wir wieder lernen, zu träumen und in die Zukunft zu denken. Aus dem Erdballministerium betrachten wir die Welt im Ganzen, es ist eine Raumstation auf festem Grund. Das neue Ministerium kennt alle Verfassungen und alle Werte, es blickt auf jedes Land. Dort arbeiten Menschen, die weise sind und ein wahrhaftes Interesse an der Zukunft besitzen; Alte, Junge und die Eltern kleiner Kinder. Sie können nichts bestimmen, dennoch rettet das Erdballministerium die Welt.

Wir lernen wieder zu träumen, aber wir träumen nicht an der Wirklichkeit vorbei. Das Erdballministerium weiß, dass wir die Erde nur zu treuen Händen besitzen, wir müssen schwierige Entscheidungen treffen, um den Planeten zu bewahren. Die Mitarbeiter des Erdballministeriums sind nicht blauäugig, flüchten sich nicht in bequeme, gute Worte, sondern erkennen Notwendigkeiten und halten die Balance. Es gilt, Lösungen zu finden, die den Hunger stillen, ohne die Erde zu zerstören. Die Ressourcen sollen auf der Grundlage eines globalen Plans effizient genutzt werden. Vielleicht ist es richtig, Urwald zu roden, um Soja zu säen, wenn dafür in einem anderen Teil der Welt in der Steppe Bäume wachsen. Das neue Ministerium unterstützt die Speicherung von Energie in Bergseen und streitet für Sonnenkollektoren in Ländern, in denen die Sonne häufig scheint. Die Verschmutzung der Welt bekämpft es an Orten, an denen sie am größten ist.

Unser Bild von einer guten Zukunft kann nur Wirklichkeit werden, wenn wir glaubhaft von dort aufbrechen, wo wir stehen. Die Untersuchungen des Erdballministeriums führen uns vor Augen, wann wir ohne Aufschub handeln müssen, bei wem das Leid am größten ist, wo Menschen in unerträglicher Weise zusammenleben. Wir können über die eigenen Umstände, die Lebensverhältnisse unseres Landes hinausblicken und unsere Ansprüche zurechtrücken. Wir bringen uns in die Weltgemeinschaft ein, begreifen uns als ihr Teil und verstehen die Herausforderungen der globalen Gesellschaft. Der sich weiter öffnenden Schere zwischen Arm und Reich, den immer größeren sozialen Ungleichgewichten und der Gefahr von Unruhen und Terrorismus gehen wir nicht aus dem Weg und tragen dazu bei, dass sich die Lebensbedingungen angleichen. Weil ohnehin längst alles ineinandergreift, rücken wir dichter aneinander heran. Unser Planet ist voller Schätze. In Teilen Afrikas herrscht Not, aber es gibt Rohstoffe, jeder kann geben und bekommt zurück. Das Erdballministerium ist ohne Eitelkeit und lernt jeden Tag aus dem, was auf der Erde geschieht. Es bringt Nationen in ernsthafter Absicht zusammen und zeigt Wege, auf denen Staaten vorangehen. Andere können folgen. Das neue Ministerium rettet die Welt, indem es der Welt hilft, sich selbst zu retten.

Das Erdballministerium ist eine riesige Redeanstalt, es beherrscht auch die Sprachen der fernsten, kleinsten Länder, dabei kennt es nur Klartext und keine Diplomatie. Es besteht aus Wissen und verkörpert unseren Anspruch, dieses Wissen mit jedem zu teilen, der sich dafür interessiert. Beste Absichten, Geduld und Entschlossenheit, Funkmasten und Zungen prägen das neue Ministerium. Die Türen stehen Tag und Nacht offen, die Büros sind immer besetzt. Wer Gehör sucht oder Rat, wird erwartet, er ist zu jeder Zeit willkommen, das

Erdballministerium sendet und empfängt an vierundzwanzig Stunden am Tag. Das Ministerium ist ein Beitrag für die Welt von morgen, ein Zeichen dafür, dass wir in Richtung Zukunft unterwegs sind. Mit ihm rufen wir, schaut her, wir haben unsere Zukunft in der Hand. Hier sprechen keine Spinner, hier spricht eine Industrienation im Herzen Europas, eine Nation, die bereit ist, ihren Beitrag zu leisten.

Nun mag die Notwendigkeit, die Dinge im Ganzen zu betrachten, ohne Streit anerkannt sein, aber warum ausgerechnet Geld für ein neues Ministerium? Ob es wohl überhaupt noch einen einzigen anderen Menschen gibt, der sich nichts sehnlicher wünscht als eine neue Behörde? Ich bin kein großes Licht und verstehe nicht viel von Strategien, aber ich glaube an die Kraft einer Idee, wenn sie einen Antritt findet, der ihr Wirkung verleiht. Über Jahrzehnte habe ich gesehen, dass der Aufbau einer Verwaltung und ihrer Abläufe darüber entscheidet, wohin sich die Dinge entwickeln. Auch große Ziele brauchen eine einfache Organisation, falsch organisiert misslingt auch das Gute.

Der jährliche Haushalt unseres Landes beträgt fast dreihundert Milliarden. Wir überweisen Geld in alle Himmelsrichtungen und sollen es uns nicht leisten können, fünfhundert Leute und ein paar Antennen für die Zukunft einzusetzen? Die Zukunft braucht ein Ressort!

Ist das Erdballministerium ein Scherz, ein verrückter Name, nicht mehr als eine Idee, ein Traum, der zu dem, was wir kennen, nicht passt, fremd und provisorisch, auf Papier aufgeschrieben und bald wieder vergessen? Haben wir nichts

Dringlicheres zu tun, als unseren Alltag ein kleines Stück auf den Kopf zu stellen? Wer weiß? Irgendwann siegt der Mut, wir wagen und gewinnen. Irgendwann brechen wir auf, wir rufen, schaut her, der erste Schritt ist gemacht! Und sehen nicht alle großen Anfänge im Rückblick aus wie ein Scherz?

Die letzten Sätze hat Meinsteiner an den unteren Rand der vierten Seite gequetscht. Dem letzten Fragezeichen fehlt rechts in der Ecke der Punkt.
Ich greife noch einmal in den Umschlag. Seite sechs.
Meinsteiner hat mit dem Bleistift einen Globus gezeichnet. Meinsteiner ist ein lausiger Künstler. Der Globus ist nicht rund, sondern ähnelt einem Ei. Die Kontinente sind verzerrt, Europa bildet die Mitte, so groß wie Afrika. Auch der Versuch, auf den Kontinenten Ländernamen aufzutragen, ist jämmerlich missglückt. Das Papier ist an vielen Stellen vom Radieren dünn.

Ich lege den Umschlag und seinen Inhalt auf meinen Schoß, schaue über das Meer und stelle mir vor, wie Meinsteiner auf seinem Platz im Parlament hockt und schreibt. Wie er sich nach vorn beugt und radiert. Wie er zeichnet, es ihn wurmt, wenn die Zeichnung misslingt oder er nicht weiß, wie ein Land heißt.

Ich sitze auf dem Fährschiff, auf dem Oberdeck neben dem Schornstein, in der Sonne eines Spätsommernachmittages, in einer Welt aus Licht und Blau und Wind und fühle mich Meinsteiner nahe. Eine halbe Stunde wird die Fahrt noch dauern. Auf dem Oberdeck ist es ruhig geworden. Die Sonne wärmt mein Gesicht. Ich spüre die Arbeit der Schiffsmotoren. Alles hier ist ganz und gar wunderbar, eine Sommerfrische auf dem Meer, ein unerwartetes Geschenk. Plötzlich fallen alle Gedanken von mir ab. Ich schließe die Augen und habe das Gefühl, schon seit Tagen unterwegs zu sein, auf einer Seereise, Meilen und Meilen bis zum nächsten Land. Das Schiff folgt einer unsichtbaren Karte. Die Sonne hat auch das Metall des Schornsteins und der Sitzbank erwärmt. Die Motoren lassen den Boden sanft vibrieren. Eine freundliche Müdigkeit nimmt mich in Besitz.

Ich gebe nach.
Ich atme. Leicht. Ich schlafe.
In Licht und Wind.

Die Fähre tutet. Ich erwache mit einem Ruck und blicke auf. Wir sind da. Kathrin Knudson steht auf dem Anleger. Die Schraube geht in eine Rückwärtsbewegung über. Immer noch halte ich Meinsteiners Unterlagen auf meinem Schoß fest. Ich nehme sie, blättere zurück und sehe noch einmal auf die Überschrift. *Meinsteiners Vermächtnis.* Ich stecke die Papiere in den braunen Umschlag, verstaue ihn sorgfältig im Rucksack und winke Kathrin Knudson zu. Das Schiff stößt gegen den Ponton. Der Kapitän wirft einen Tampen auf den Poller. Begrüßungsworte fliegen hin und her. Die Möwen treiben auf und ab, die Seeleute vertäuen das Schiff schweigend, mit sicherem Griff.

Immer noch Sommer auf der Hallig im friesischen Meer.
Kathrin Knudson, die Hände in den Hosentaschen.
Sie kommt mir entgegen.
Große Schritte.
Sie lacht.

Warftgefühl

Der Weg vom Anleger zum Haus hat mich überwältigt. Dass ich zurückgekehrt bin, macht mir Mut. Die Erinnerung an den Abend mit Kathrin Knudson verschlägt mir den Atem. Wir beide an diesem Ort. Ihre Nähe und die Klarheit ihres Handelns nehmen mich ein. Ich liege in dem Bett unter der schrägen Zimmerdecke und denke, dass die Küstenlandschaft wahrhaftig ist.

Das Leuchtturmfeuer kommt durch die holzgefächerten, halbmondförmigen Fenster herein und streicht lautlos über mein Fußende auf stets gleichem Weg von der einen Seite des Raumes zur anderen.

Ob Kathrin Knudson schläft?
Das Licht des Leuchtturms streift ihr Gesicht.
Dann zieht es über die See.

Zur Warft wanderten wir über Wiesen.
Wir gingen durch ein rotes Feld wogenden Quellers, wir verharrten schweigend vor einem violetten Meer aus Flieder. Brandgänse und Möwen, Austernfischer begleiteten unseren Weg. Die Worte verschwanden und die Rufe der Vögel wur-

den lauter. Die Warft erhob sich inmitten der Hallig. Ich hielt
an, ich blickte auf das kleine Gehöft und begriff, dass ich nicht
träumte, dass ich hier schon einmal gewesen war. Das letzte
Stück zur Warft sind wir gelaufen. Kathrin Knudson öffnete
das Gartentor und nickte. Ich blickte auf ihr ebenmäßiges Gesicht. Ich sah ihre Augen, die ein Leuchten nicht verbargen.
Nichts hatte sich verändert. Da waren der mit Muscheln be-
setzte Anker und die quergeteilte Tür. Da war der Strandkorb,
in dem ich am ersten Tag gewartet hatte.

Wir traten ein. Als wir in dem kleinen Flur standen und ich
meinen Rucksack auf den Stuhl neben dem roten Tisch stellte,
wurde mir klar, wie oft ich an diesen Ort gedacht hatte.

Auf eine gewisse Weise bin ich nach Hause zurückgekehrt. Es
ist nach Mitternacht. Ich liege im Bett. Das Leuchtfeuer ist ein
freundliches Zeichen. Menschen haben es entzündet, seit Jahrhunderten verbinden Leuchttürme die im Meer, auf Inseln und
Schiffen verstreuten Seelen. Das Leuchtfeuer sagt dir, wo du
bist, und zeigt dir den Weg.

Wer ein Leuchtfeuer sieht, ist nicht allein.

Meine Augen folgen den hellen Fingern.

Ich schlafe bald.

Kathrin Knudson
im Grün,
im Meer

Sie befestigt den leeren Korb auf dem Gepäckträger und setzt sich dicht neben mich auf den Wall. Eine Weile blicken wir über Land und Wasser. Dann steigt sie auf das Rad und fährt davon. Ich sehe ihr nach, bald ein immer kleinerer, ein schwebender Punkt, er verwebt sich in der Ferne mit anderem und verschwindet.

Dreimal in der Woche fährt Kathrin Knudson zu dem Kolonialwarenladen. Da gibt es alles und ein Gespräch. Der Lagerraum ist dicht mit Regalen belegt, die ihrerseits Zentimeter auf Zentimeter mit Waren befüllt sind. Kathrin Knudsons Glaube an das Sortiment hat jedoch weniger mit der Lagerfläche zu tun als damit, dass die Besitzer wissen, was die Bewohner der Hallig brauchen. In einem stillen Wettkampf vermerken die Eheleute hinter der Theke das Gewünschte, sie holen es während der nächsten Fahrt vom Festland herbei und zaubern es auf Nachfrage wie selbstverständlich auf den Tisch.

Nachdem Kathrin Knudson aus meinem Blick verschwunden ist, verlasse auch ich die Warft. Ich schließe das Gartentor und schreite aus. Wieder ziehen weiße Wolken an einem blauen Himmel dahin. Sie spiegeln sich in von Salzwiesen umschlossenen Wasserläufen. Es riecht nach Blüten und See, fast schmeckt die Luft süß. Die Rinder auf der großen Wiese bewegen sich erst, als ich Mut fasse und vortrete, um eines der Tiere zu berühren. Ich erreiche das Ufer. Gerade noch auf festem Grund steht eine Bank. Der Blick reicht über die Marschen bis zu dem silbern schimmernden Meer. Nichts als Watt und Himmel, nichts als der Horizont. Kein einziger Mensch, so weit ich auch schaue. Nichts vor mir ist von Menschen gemacht.

Das hohe Gras wiegt sich.
In einer Brise.

Das Geschrei der Möwen und die Rufe der Austernfischer machen den Augenblick vollkommen.

Ich weiß, dass alles richtig ist. So wie ich hierhergekommen bin, finde ich nun zu mir zurück. Ich setze mich auf die Bank und sehe zum Meer hinaus. Ich denke über die letzten Monate nach. Mein Leben hat sich verändert. Nach wie vielen Jahren gerät das Wesentliche wieder in meinen Blick?

Früher habe ich meinem Kopf getraut. Die Wiedervereinigung war das historische Ereignis meiner Generation. Als die Grenze fiel, haben Sozialismus und Kapitalismus einander in die Augen geschaut. In den ersten Jahren in Berlin wollte ich ein anderes Land. Es hat Jahre gedauert, bis ich verstand. Die Politik handelt mit eigener Münze. Wir haben Überzeugungen, aber wir zeigen sie nicht laut her. Unsere erste Frage heißt nicht, richtig oder falsch, sondern Mehrheit, ja oder nein. Die Frage nach der Mehrheit ist der Kern unserer Überlegungen, sie steht vor allem anderen. Was keine Mehrheit hat, bei den

Wählern, in der Regierung und in der Partei, findet nicht statt.
Drohen wir allein zu stehen, bleiben wir lieber still.
Täglich studieren wir die Umfragen. Wir achten darauf, dass
wir gefallen.

Wir wollen unseren Job behalten.
Wer will das nicht? Wer kämpft nicht um seinen Arbeitsplatz
und um das Geld?
Wir wissen, wie es funktioniert.
Wir bleiben an der Macht.

Der Konsum wird immer wichtiger. Konsum bestimmt die öffentliche Gegenwart. Wir konsumieren Lebensmittel, Kleidung
und Möbel. Wir konsumieren Reisen und das Fernsehpro-
gramm. Wir reden in der Politik über nichts anderes als über
die Verteilung von Geld. Themen, die nicht das Geld betreffen,
führen alsbald zum Geld zurück.
Ich bin fett geworden. Fett und ein wenig wehleidig dazu.
Wenn mir nichts anderes einfällt, esse ich. Wenn ich Sorgen
habe, esse ich. Wenn mich das Gespräch nicht interessiert, tische ich mir auf.
Der Eisschrank ist stets gut gefüllt.
Neue Restaurants sind in aller Munde.

Dass Wahrheit und Richtigkeit nicht mehr vorn stehen, fällt
mir schwer zu begreifen. Auf Zielen zu beharren, verbindet
mich mit Meinsteiner und Rödel. Sie denken auf ihre Weise
wie ich. Zuerst habe ich Rödel getroffen, dann Meinsteiner,
zwei zufällige Begegnungen in Berlin, am Anfang der Neun-
zigerjahre, bald zweifach der Beginn von Freundschaft. Neue
Freunde zu finden, war für mich ein großartiges Gefühl. Wie

gut es tat, miteinander zu sprechen. Wie gut es tat, in der Zeitenwende gemeinsam zu gehen. Mit den Augen von Rödel und Meinsteiner bin ich mir selbst in der Mitte meines Lebens noch einmal begegnet. Ja, ich gebe es zu, unseren Freundschaften fehlt das Bierselige. Noch nie haben Meinsteiner und ich zusammen getrunken. Ich habe keine Ahnung, ob Meinsteiner trinkt; Rödel privat vielleicht hier und da ein Glas. Wir schlagen einander auch nicht auf die Schulter. Wir sind Weggefährten.

Von Meinsteiner habe ich gelernt, dass durchsichtige Dinge nicht durchsichtig sind. Das Unsichtbare bestimmt das Sichtbare. Von Meinsteiner habe ich gelernt, auf leise Weise beharrlich zu sein. Rödel hat mir gezeigt, wie es geht, etwas Neues zu wagen. Rödel verschenkt ohne Rücksicht auf sich selbst immerzu Tatkraft und Übermut. Nach der Wiedervereinigung wurde jede Begabung gebraucht. Wenn ich mit Meinsteiner oder Rödel sprach, war ich stets voller Pläne und Zuversicht. Ich denke, Meinsteiner ist der Ansicht, dass ich zuständig bin, wenn er nicht weitergehen kann. Rödel dagegen hält mich für vernünftig. Er genießt meinen Blick, wenn ich behutsam, auf eine gewisse Weise verzweifelt versuche, ihn von einem Gedanken abzubringen. Wenn ich Rödel am Abend traf, haben wir viel gelacht. Ihm machte es nichts aus, dass die meisten seiner Pläne vor unseren Augen am Schiffbauerdamm versanken. Wenn ich eine Idee als Spinnerei abtat, hatte er längst eine neue.

Seit der Eurokrise ist alles anders. Die Abende am Schiffbauerdamm gehören zu einer vergangenen Zeit. Ich spreche Meinsteiner und Rödel nur noch selten. Wir sehen einander in Sitzungen. Mehr nicht. Es liegt weniger am Kalender. Jeder geht seiner Wege. Jeder geht auf seine Weise mit diesen Jahren um, sucht auf seine Art nach Sinn und Halt. Manchmal fürchte ich, dass Rödel auf dem schmalen Grat zwischen Mut und Irrsinn tatsächlich verrückt geworden ist. Und Meinsteiner? Er schweigt noch beharrlicher als früher. Seine Worte fehlen mir. Unsere Gespräche fehlen mir. Sogar Meinsteiners Kaffeerunde gibt es seltener als in den Jahren, die vergangen sind. Obwohl ich nicht dazugehöre, bedrückt es mich, dass Meinsteiner nicht mehr in die Cafeteria geht wie sonst. Vielleicht verändert sich auch unser Parlament. Vielleicht stirbt auch das Parlament, wie es ist, in Würde aus.

Ich sitze auf der Bank und blicke auf das Meer. Ich beobachte die Möwen bei ihrem kühnen Flug. Hierher musste ich kommen. Manchmal ist es nicht mehr als eine Ahnung, und wir tun das Richtige.

Ich fühle mich frei. Es ist vorbei, ich laufe nicht mehr davon. Ich gehe nicht mehr im Kreis. Ich verstehe jetzt, dass ich keinen einzigen Tag in meinem Leben aufgehört habe, von Wahrheit und Richtigkeit zu träumen. Es stimmt, manchmal, wenn ich am Tisch meine Meinung sage, schrecken die Leute zurück. Sie rücken ein wenig von mir fort. Ein fester Standpunkt bedeutet Ja und Nein. So spricht man heute nicht. Wenn ich an solchen Tagen am Abend die Haustür hinter mir schließe, hat sie einen hohlen Klang. Doch das ändert nichts. Ich bekenne, dass es Werte gibt, an die ich glaube. Es mag merkwürdig klingen, aber ein fester Grund gibt mir Leichtigkeit. Ich weiß, dass die Politik nichts mehr gilt, aber ich bekenne auch, ich liebe sie noch immer. Ich bin gern Politiker. Von meiner Aufgabe bin ich überzeugt. Die Gemeinschaft ist meine Sache, das es mit unserer Gesellschaft vorangeht, ist meine Herzensangelegenheit. Wir sind für unseren Staat verantwortlich. Nichts in der Politik ist zu kompliziert, um es zu verstehen. Wir können unserem Kopf und unserem Herzen trauen. Wir lernen an jedem Tag, an dem wir mit anderen zusammenleben. Ob wir zu zweit sind oder zwei Millionen, was spielt das für eine Rolle? So wie wir uns im Kleinen verhalten, so sind wir auch im Großen. Die Regeln, die unsere Gemeinschaft ausmachen, bleiben die gleichen.

Immer suche ich nach dem besten Weg.
Manchmal glaube ich, dass Meinsteiner meine Gedanken liest. Dass Meinsteiner mit meinen Gedanken spielt. Das Meinsteiner meine Gedanken macht.
Natürlich tut er das.

Auflaufendes Wasser, silbern in den Marschen. Die Flut kehrt zurück. Hinter mir höre ich ein Klingeln. Ich drehe mich um. Kathrin Knudson im Grün, im Meer. Das Klingeln sind zwei einzelne Töne. Es ist ein kleiner Hammer, der mit hellem Klang gegen eine blecherne Haube schlägt. Kathrin Knudson lehnt das mit Einkaufstaschen und einem vollen Korb beladene Rad vorsichtig an die Bank. Sie lächelt mir zu.

Alles findet in diesem Augenblick zusammen. Die vergangenen Jahre. Dass ich hier bin. Was kommen mag. Dieses Glück, das ich fühle, im Angesicht von Gras und Schlick. Ich stehe auf, mein Blick ist ruhig. Ich sehe Kathrin Knudson an. Ihr Lächeln wandert zu mir herüber und nimmt auch mich in Besitz. Wir setzen uns wieder auf die Bank. Wir sehen auf das Wasser hinaus.

Die weißen Wolken ziehen bis zum Horizont. Bald bedecken silberne Flächen das Watt. Die Vögel treiben im Wind auf und stürzen sich mit einem Schrei in die Tiefe. Von Zeit zu Zeit schaue ich zu ihr hinüber. Ich frage mich, ob Kathrin Knudson meinen Blick bemerkt. Ich weiß, die Küste spiegelt sich in ihren Augen.

Die Möwen rufen in den blauen Himmel.
Unsere Schultern berühren sich.
Wir bewegen uns nicht.
Die Flut kommt näher.
Und die Zeit hält an.

Eine Flaschenpost
in die Zukunft

Seit einer Stunde sitze ich auf der kleinen Düne. Jetzt erhebe ich mich und gehe zum Wasser hinab. Gerade heute ist das Meer unruhig. Die Nordsee ist ein gewaltiger Körper, der fließt. Die Wogen verwandeln sich vor dem Land in schwarzblaue Ungetüme, sie schieben sich übereinander und strömen heran. Ich suche den Punkt, an dem die Welle bricht. Die See stößt auf die Hallig, ihre Ausläufer eilen zu mir hinauf und versinken mit einem Knistern vor meinen Füßen im Boden. Am Scheitelpunkt der Flut bleibt ihre Fracht zurück. Meine Augen forschen in den Ablagerungen nach Strandgut, nach Bernstein und nach weißem Kiesel.
Zu früh.

Ich kehre um und gehe zu der Düne zurück. Es ist nicht so, dass ich nicht entschlossen wäre. Der Moment ist noch nicht gekommen. Ich weiß, den richtigen Moment spüre ich sofort. Alles muss stimmen. Es gibt Menschen, die sich verbeugen, bevor ein Brief auf die Reise geht. Sie stehen vor dem Postamt, sie halten das Kuvert in der Hand, bedenken seinen Inhalt und seinen Weg, sie neigen ihren Kopf, nehmen Abschied und werfen den Umschlag in den Kasten. Sie stehen mit leeren Händen auf der Straße und verharren still. Der Brief ist ein Bote.
Möge uns das Schicksal gewogen sein.

In meinem Apartment in Berlin besitze ich kein Briefpapier. Zum Schreiben fände ich in den wenigen Stunden, die ich dort bin, nicht genug Kraft. Handgeschriebenes wird nicht nebenbei gemacht. Die Feder verlangt Umsicht und Mut. Das Handgeschriebene ist eine persönliche Sache und setzt eine Standortbestimmung voraus. Ein Brief berichtet, wo wir uns befinden. Er erzählt eine Geschichte. Zwischen den Zeilen steht das nicht Gesagte. Alles zählt. Da ist die Anrede, die den anderen meint, da sind Gedanken, Wort für Wort verzeichnet, die Schrift, die Tinte und das Papier. Da ist ein frankierter Umschlag, der reist, da ist die seit dem Schreiben und seit der Reise vergangene Zeit. Die Gedanken werden aus dem Umschlag hervorgezogen, die vor dem Anfang der Reise geschriebenen Worte werden nach deren Ende gelesen. Wie mag es dem Absender gehen? Wo befindet er sich heute? Denkt er noch, wie er dachte, als er schrieb? Ganz gleich, was der Brief sagt, eine sofortige Erwiderung ist unmöglich. Freude, Traurigkeit, das Erstaunen, sie treffen nur auf Papier. Nimmt der Empfänger nun die gleiche Mühe in Kauf, wie es der Absender tat? Sucht er nach Tinte und Bogen, sucht er sein eigenes Wort? Was aufgeschrieben ist, kann über die Zeit bestehen. Mag unsere Erinnerung ungenau werden, können sich Ereignisse und Worte in der Rückschau färben, wandelt sich Geschehenes in den Bildern, die wir in uns tragen; das Geschriebene holen wir nach Jahren unverändert hervor. Es sind Briefe, die zu meinen größten Schätzen zählen. Die Zeit legt ihren Schatten auf das Pergament, doch die Handschrift ist lebendig wie eh und je. Meine Briefe sind gut versteckt. Ich lese sie wieder und wieder. Im Rückblick begreife ich noch mehr.

Es benötigt Mut, um einen Brief zu schreiben, die Flaschenpost braucht andere Fertigkeiten dazu. Die Flasche halte ich fest in der Hand. Ich blicke durch das Glas in ihr Inneres. Nur mit Mühe ist es mir gelungen, das dicht beschriebene Papier durch den schmalen Hals zu schieben. Es ist keine Beschädigung zu erkennen. Auch der Verschluss sieht so aus, als wäre er in Ordnung. Ich drehe die Flasche hin und her.

Es ist mir egal, ob die Botschaft ankommt. Je länger sie reist, desto besser. Wichtig ist, dass sie ankommen kann. Ein Schüler hatte eine Flaschenpost abgeschickt, die nach Jahrzehnten an einer weit entfernten Küste gefunden wurde. Lächelnd sagte der inzwischen ältere Herr dem Reporter, er habe den Tag, an dem er die Flasche von dem Anleger seines Heimatdorfes behutsam ins Wasser ließ, nie vergessen. Eine regnerische Stunde, eine schlechte Note im Unterricht am Morgen, der Weg zum Hafen, alles sei in seinem Kopf noch da. Die Flaschenpost habe ihn zeitlebens bewegt. Der Umstand, dass die Botschaft, in einem Moment seines Lebens versiegelt, irgendwo da draußen extistieren könnte, habe seinen Gedanken Flügel verliehen. Heute, erklärte der ältere Herr, würde ich sagen, ich schrieb an mich selbst.

Kinder schicken Botschaften im Spiel, Forscher messen mit einer Flaschenpost Ströme, Schiffbrüchige riefen mit ihr ein letztes Mal um Hilfe. Kathrin Knudson sagt, ich bin verrückt. Wobei sie lacht. Vielleicht denkt sie insgeheim, irgendwie gehört die Flaschenpost zu einer Hallig dazu. Wir wissen beide, dass ich nicht verrückt bin. Nicht jetzt. Nicht aus diesem Grund.

Es kommt darauf an, dass die Botschaft versandt wird, darauf, dass ich mich entscheide. Wenn ich die Flaschenpost abschicke, wenn ich die Flasche in das Meer einsetze, und sie schwimmt davon, dann ergibt sich alles andere.

Ich lege meine Kleidung ab, ordne Hemd und Hose auf dem Gras und bedecke sie mit dem Handtuch. Der Wind ist kälter, als ich gedacht habe. Ich gebe mir einen Ruck. Ohne anzuhalten, gehe ich die wenigen Meter, dann langsam in das Wasser hinein. Ich bewege mich mechanisch, verschwinde Stück für Stück. Die Flasche halte ich vor mir in die Höhe. Das Meer ist eisig. Für einen Moment bin ich unsicher.
Ich bade nie in unruhiger See. Kälte ist mir wesensfremd.
Ein großer Balken, kaum zehn Meter entfernt, wirbelt in der Brandung umher.
Die Wellen überschlagen sich, dann rauschen sie heran. Ich sehe auf den Balken. Er kommt auf mich zu, doch als ich ihn mit den Augen verfolgen will, verschwindet er in der schäumenden See. Für einen Augenblick steht alles still. Ich erwarte, dass der Balken vor mir auftaucht, viel zu dicht, um noch zu reagieren. Ich erwarte den Schlag. Ich frage mich, was ich hier tue. Gehe ich wirklich in das Wasser hinein? Warum?
Es dauert nicht lange. Der Balken ist fort.
Ich laufe weiter. Ich friere. Jetzt geht es durch die Brandung hindurch. Ich habe Glück, etwas weiter draußen kommt eine kleine Erhebung, ich laufe wieder ein Stück aus dem Wasser heraus. Dort, wo sich der Boden erneut senkt, wird das Meer ruhiger. Ich stehe bis zur Brust in der Dünung. Ich überprüfe ein letztes Mal den Verschluss. Ich halte die Flasche vor mein Gesicht. Ich bedenke ihren Inhalt, ihren Weg.
Ohne das Ziel zu kennen, wünsche ich eine Reise, die gelingt.

Jetzt.

Mit der nächsten Bewegung ist es getan. Sie schwimmt.

Es kommt darauf an, dass wir unseren Standpunkt finden. Es kommt darauf an, dass wir uns stellen, dass wir sagen, worum es geht.

Die Flaschenpost dümpelt dicht vor mir. So hatte ich es mir nicht gedacht.

Während ich noch überlege, ob ich weit genug draußen bin, beginnt die Flasche, sich zu bewegen. Ich berühre sie nicht, folge ihr und wate einige Meter hinaus. Dann wird das Wasser zu tief. Ich schaue dem Glas hinterher. Erst blinkt der Flaschenhals in der Dünung, doch schon wenig später ist er nicht mehr zu sehen. Ich drehe mich um und kehre an den Strand zurück. Vielleicht landet meine Botschaft im Netz eines Fischers oder sie sinkt auf den Grund des Meeres, da liegt sie neben anderen. Ein unentdeckter Friedhof, wogende Hälse in ewiger Nacht. Rufe, die verstummen, Zeugnis, das vergeht. Ohne Eile frisst sich das Salz durch Verschluss und Papier. Vielleicht erreicht die Flasche auch die Küste. Das Meer spült sie in einen kleinen Hafen. Dann steht sie auf einem Tisch, der ist bunt bedeckt, die Flasche ist eine Meeresfrucht, neben Muschel, Krabbe und Fisch. Vielleicht werde auch ich dann vor einem Reporter stehen, der mich fragt, wieso das geschehen ist. Wieso ich eine Flaschenpost versandt habe. Einen geschriebenen Brief in einem Glas, im Meer, im Zeitalter der elektronischen Kommunikation. Ich werde lächeln.

Vielleicht sage ich, tun Sie es selbst. Los, werfen Sie eine Flasche in die See.

Dann verstehen Sie am besten.

Selten habe ich so gefroren. Meine Kleidung wartet unberührt. Ich ziehe mich an und blicke noch einmal hinaus, dann mache ich mich auf den Weg zur Warft. Volle Kraft voraus, das wären Rödels Worte. Meinsteiner würde einen Augenblick warten. Ich hoffe, Sie haben sich nicht erkältet. Vielleicht zöge die Andeutung eines Lächelns über Meinsteiners Gesicht. Die Warft kommt näher. Ich gehe schneller.

Mobiltoilette
unter Denkmalschutz

Die Badelandschaft hat es bis in einen friesischen Radiosender geschafft. Kathrin Knudson deckt den Tisch. Schon nach den ersten Worten ist mir klar, worum es geht. Ich starre auf den Lautsprecher. Ich bin überrascht, dass die Badelandschaft ohne mein Zutun auf der Warft zur Sprache kommt.

Kathrin Knudson bemerkt die Veränderung sofort.

Der Reporter berichtet aus der Hauptstadt über deren neustes Meisterstück. Die prächtige Schwimmhalle, ein von achtundvierzig Säulen getragenes Gebäude, bekrönt von einem Dach aus gelbem Glas. Das Wellenbad mit dem Duft dreier Meere. Und auf den Eingangstoren, Sie werden es nicht glauben, surfen Surfer in richtigem Wasser!

Eine extravagante Badelandschaft, jawohl, doch sie wird nicht fertig. Nur die Surfer surfen. Seit Jahren steigen die Kosten.

Rödel wird vorgestellt.

Der Reporter beginnt. Wir befinden uns am Eingang der Badelandschaft vor einer Mobiltoilette. Wie lange schon steht das Örtchen am Ort?

Müssen Sie mal?, fragt Rödel.

Nun im Ernst, sagt der Reporter, wann endlich beginnt hier der Betrieb?

Das mag noch dauern, antwortet Rödel. Im Entfeuchtungsfall

sollen die Abströmung und die Nachströmung vollständig reibungslos funktionieren. Die Baufirmen mussten ihre Verträge aufgrund dieser neuen, sehr technischen Anforderungen noch einmal verhandeln.

Ja, aber was haben die Leute denn in der ersten Runde gebaut, fragt der Reporter. Wie sind die Anforderungen bisher gewesen? Ist die Konstruktion denn so kompliziert? Eine Schwimmbadhalle ist doch kein Flug zum Mond. Diese Unternehmen sind Konzerne, profilierte Betriebe. Oder nicht?

Die Auftragspakete, sagt Rödel, wurden erweitert. Neben einer brandneuen Ansteuerung sollen die Aussteuerung und sogar die maschinelle Umsteuerung der Anlage verbessert werden. Klappen und Kappen, Ventilatoren und Motoren, Pumpen und Stumpen, alles neu.

Das wird ja nicht zu deren Schaden sein, meint der Reporter.

Die Veränderungen waren auch deshalb erforderlich, weil Zulassungen der von Drittfirmen eingebauten Maschinen schon wieder abgelaufen sind. Ich betone, sagt Rödel, es handelt sich lediglich um Drittfirmen.

Und nun, fragt der Reporter.

Aufgrund der Änderungen müssen in der Schwimmbadhalle weitere Frischluftklappen installiert und Kabel gelegt werden. Unklar ist, ob in dem Mauerwerk hinreichend Kabeltrassen vorhanden sind.

Ein Test der Anlage vor Inbetriebnahme, sagt Rödel, ist auch noch vorgesehen. Das ist doch klar. Das kann ich nicht, will ich auch gar nicht verschweigen.

Die Freiwilligen, erklärt der Reporter, die sich vor längerer Zeit gemeldet haben, kommen nun zum Einsatz.

Ich meine, sagt Rödel, der Vorwurf, dass es hier nicht klappt, der geht doch total ins Leere.

Was für ein Jammer, sagt der Reporter. In der Schwimmhalle ist kein Mensch. Mein Mantel hängt im Umkleideraum an einem von hundert unbenutzten Haken. Aber nicht mehr sehr lange, erklärt Rödel trotzig. Notfalls machen wir das mit der Klimaanlage eben im Handbetrieb. Die ehrwürdige Mobiltoilette, sagt der Reporter, liebe Hörer, das lernen wir, die wird noch gebraucht.

Es soll sogar eine Bürgerinitiative geben, sagt der Reporter, so eine Art des modernen Denkmalschutzes, die erreichen will, dass für immer eine Mobiltoilette in der Eingangshalle verbleibt.

Kathrin Knudson hat das Radio ausgestellt. Ich blicke aus dem Fenster. Die erneute europaweite Ausschreibung wird zwei Jahre dauern. Das hat mir Rödel erzählt, als ich ihn kurz vor meiner Abreise traf. Rödel sah müde aus. Es ist kaum zu glauben, sagte er empört, die Schwimmhalle muss neu gebaut werden. Nicht die ganze Schwimmhalle, nicht die Fundamente, nicht das Dach. Die nicht. Wichtige Teile aber schon.

Die defekte Anlage zieht sich, sagte Rödel, wie ein Aderwerk durch das Gebäude. Das ist ein widerliches Gestrüpp. Man hat den Eindruck, es wächst bei Tag und Nacht. Diese ganzen Leitungen und Rohre, wie das alles miteinander verbunden ist. Rödel wendete den Blick ab. Das Becken, die Steine, verlegt und poliert, die Schränke, die Sprungtürme und die Säulen, der Eingangsbereich, die Küche, die Umkleide- und Duschräume, alles ist perfekt.

Alles, Rödel bäumte sich noch einmal auf, alles, rief Rödel, ruft nach Besuchern.

Millionen sind ausgegeben, so viel Können, so viel Aufmerksamkeit, so viel fabelhafte Handwerkskunst. Rödel lächelte traurig sein Badelandschaftslieblingslächeln.

Und nun das.

Straußer, sagte Rödel, wird gefeuert.

Im Sturm

Und die Stürme, frage ich später am Abend. Wir sitzen wieder am Esstisch bei Rotwein und Käse. Kathrin Knudson lächelt. Jeder fragt nach den Stürmen. Es ist anders, als die Leute denken. Ohne die Stürme wollte ich hier nicht leben. Die Alten lesen das Wetter, sie zeigen in den Himmel auf die Wolken. Es ist nichts zu sagen, ich nicke, drehe mich um und weiß, was zu tun ist. Ich schalte das Radio an und mache die Warft bereit. Ich gehe an jeden Platz, zurre und packe. Fenster und Türen werden mit Keilen gesichert. Ich ordne Vorräte und zähle die Batterien. Dann heißt es zu warten. Während nur wenige Kilometer entfernt auf dem Festland das Leben verläuft, als wäre nichts anders als sonst, und die Leute in Kinos, Restaurants, in Theater und zum Einkaufen gehen, sitze ich in der Küche und warte auf den Sturm.

Zwei Tage später hebt der Wind an. Ich höre es sofort. Das Meer steigt, es rückt näher. Draußen verschwinden die Wiesen unter schäumendem Wasser. Die Unruhe wächst mit jeder Stunde, die der Sturm andauert. Das Wasser schlägt hart gegen den Wall. Ich frage mich, ob die Böschung fest genug ist. Wie groß werden die Schäden sein? Wenn es schlimm wird, versalzt der Fething. Noch hält die von Wasser durchtränkte Erde. Ich sitze auf dem letzten Stück Land im Meer.

Beim ersten Mal, sagt Kathrin Knudson, habe ich gedacht, die Warft kann den Sturm nicht überstehen. Irgendeinen Griff habe ich vergessen, irgendetwas habe ich falsch gemacht. Ich war gerade erst angekommen und kannte mich nicht aus. Ich hatte solche Angst. Die ersten Brecher schlugen und wogten gegen den Wall. Der Orkan griff nach dem Haus. Das Haus bebte. Ich habe gehört, der Sturm will herein. Das Meer will sein Recht. Ich konnte nichts tun, bin in der Küche geblieben. Saß da, habe gehorcht, ob das Wasser kommt. Ob eine Scheibe bricht. Ob eine Tür nachgibt.

Ich und der Orkan, so fühlt es sich an.

Ich und der Orkan. Nichts sonst.

Der Sturm ist lauter als alles andere. Der Sturm ist lauter als das eigene Herz.

Die Stimme des Sturms fegt den Herzschlag beiseite.

Einige Stunden hielt ich es aus. Dann habe ich geschrien, in meiner Küche, ich habe geschrien, so lange ich schreien konnte. Ich habe dagegen angeschrien, bis der Wind nachließ.

Wenn du den Sturm überstehst, sagt Kathrin Knudson, kann dir niemand mehr etwas tun. Ein unglaubliches Gefühl, als hättest du dir selbst ein neues Leben geschenkt. Wenn der Sturm vorüber ist, entfernst du die Keile. Du trittst vor die Tür. Du stehst auf dem Wall. Das Wasser ist zurückgegangen, du atmest, willst die Arme auseinanderreißen. Du hast es geschafft! Nichts, sagt Kathrin Knudson, ist größer als die Natur. Du kannst auf der Warft nicht gegen das Meer leben. Wenn du in seiner Weite kein Zuhause findest, wirst du verrückt. Wenn der Wind nicht Teil deines Atems ist, wirst du verrückt.

Wenn du mit dir nicht im Reinen bist, sagt Kathrin Knudson, verlierst du den Verstand.

Am Sonntag nach der Flut bin ich in die Kirche gegangen. Die Kirche war feucht und klamm. Wir können nie tiefer fallen, rief der Pastor, als in Gottes Hand! Der Pastor stand vor der Gemeinde und seine Haare standen zu Berge. Der rechte Zeigefinger und die Haare zeigten in den Himmel. Die linke Hand hatte er zu einer Schale geformt. Mit der fing er uns auf.
Der Weg zu Gott, sagt Kathrin Knudson, führt mich nicht in die Kirche. Aber auch die Kirche ist ein Zeichen dafür, dass wir hier sind und dass wir uns behaupten wollen.

Noch einmal werden die Gläser gefüllt. Es ist spät. Die Nacht und das Meer. Schon als wir uns das erste Mal trafen, endete der Abend nicht. Die stärksten, sagt Kathrin Knudson später, sind die Fischer. Früh um vier der erste Hol. Das Ausbringen der Netze braucht Kraft. Der Fang braucht Geduld. Die Geschichten von denen, die draußen geblieben sind, sind Teil unseres Lebens. Die Fischer sehen in der Dunkelheit nicht weiter als bis zur nächsten Welle. Sie schwimmen mit ihr auf.
Kathrin Knudson schließt die Augen. Im Licht der Kerze sieht es so aus, als ob sie blinzelt.
Wer Angst vor dem Sturm hat, sagt Kathrin Knudson und lächelt mich an, ist hier definitiv an der falschen Stelle.
Ihre Augen lassen mich nicht los, während sie langsam um den Tisch herumkommt. Kathrin Knudson nimmt meine Hand. Wir gehen hinaus. Die Nacht ist windstill. Kiefern, die Wiesen, das Watt. Das Leuchtfeuer wandert über Land und Meer. Mondlicht liegt auf dem Wasser.

Alles, was wir brauchen.
Überreich.
Wir stehen auf dem Wall.

Zauberei

Während die Fähre von der Hallig ablegt und Fahrt aufnimmt, rufen die Möwen. Sofort sind wir auf dem weiten Meer. Der Rücken der Erde krümmt sich, das Schiff zieht auf seiner Bahn dahin.
Im Licht, im Weiß und im Blau.
Wieder sitze ich neben dem Schornstein. Es hat aufgefrischt. Der Wind aus dem Norden fegt die Wolken fort. Der Anblick auf dem Oberdeck ist mir schon fast vertraut. Da sind Familien, Einzelne und Paare. Jeder findet seinen Platz. Wir richten uns für die Überfahrt ein.

Kein Augenblick gleicht vollständig dem, den wir erinnern. Nach der Freude des Wiedererkennens berührt uns die vergangene Zeit. Ich denke an meine erste Überfahrt. Nachdem der Motor ausgefallen war, lag das Boot still. Von Zeit zu Zeit lief eine Welle kaum spürbar gegen die Schiffswand. Hansen sprach kein Wort. Die Hallig war nicht mehr als ein Strich. Bald hörte auch Hansen auf, sich zu bewegen, er schien zu schlafen. Ich saß da und vermochte nicht zu glauben, was geschah. Ich wollte nicht verstehen, dass wir keine Möglichkeit hatten, uns zu befreien. Ich konnte es nicht.
Während einer Wahlkreisbereisung sind die Kilometer und Mi-

nuten des Tages ausgezählt und einander versprochen. Die Termine reichen bis in die Nacht, der Zeitplan regiert. Alles muss klappen. Nun trieb das Boot irgendwohin. Was galten meine Pläne unter diesem Himmel?

Zu meinem Erstaunen fühlte ich keine Verzweiflung. Ich habe gewartet, wusste, dies würde nicht das Ende sein. Ich habe gewusst, dass nach der Fahrt über das Meer etwas anderes kommt. Heute verstehe ich, warum ich so dachte. Das Aussetzen des Motors hat den Takt meines Lebens unterbrochen. Die Stunden auf dem Boot mit Hansen lagen vor dem Anfang einer neuen Zeit. Was geschehen muss, geschieht. Das glaube ich immer mehr. Wir holen, was wir sind, durch unser Leben hervor.

Hinter einer Bahn aus Gischt beginnt die Hallig zu schrumpfen. Gerade noch reicht die geschäumte Spur bis zu ihr zurück. Ich denke an gestern. Auf dem Weg zum Ufer war die Flaschenpost mein Gepäck. Der Blick auf sie hatte mich so eingenommen, dass mich ihr Fehlen auf dem Rückweg überraschte. Ich schlenderte über die Wiesen zum Haus. Jeder Pfad auf der Hallig ist mir inzwischen vertraut. Ich war erleichtert, ließ mir Zeit und umkreiste die Warft. Schließlich ging ich hinauf. Das weiße Gartentor begrüßte mich mit einem freundlichen Knarren. Ich war allein, das machte mir nichts aus. Ich setzte mich in den Strandkorb und blickte über das Watt. Ich setzte mich neben den Anker und betrachtete die Muscheln. Dann ging ich in mein Zimmer und legte mich auf das Bett.

Der Gesang eines Vogels und harziger Kiefernduft schwebten gemeinsam durch die halbmondförmigen Fenster herbei. Ich schlief leicht und gut.

Als Kathrin Knudson zurückkehrte, bin ich aufgewacht. Ich lief ohne nachzudenken nach unten. Wir standen voreinander. Sie sah mich fragend an.

Ich nickte.

Ich habe das Gefühl, dass Kathrin Knudson mich versteht. Die Dinge liegen nicht so, dass ich mich sonst unverstanden fühle, aber wenn ich mit Kathrin Knudson zusammen bin, ist alles anders. Ich glaube, Kathrin Knudson und ich haben das gleiche Bild vom Menschen in der Welt. Wenn wir zusammen sind, wird mein Blick klar. Wir spielen keine Rollen. Wir gewöhnen uns nichts an. Wir sagen, was zu sagen ist. Wir tun, was wir tun möchten. Ich weiß, es klingt sonderbar, aber wenn ich mit Kathrin Knudson zusammen bin, so nah, dass nichts mehr zwischen uns passt, fühle ich mich frei. Ich habe keine Ahnung, wie das geschehen kann, dass wir uns dicht beieinander befinden, und dass ich mich dennoch frei fühle. Selbst in größter Nähe bewahren wir den Respekt. Jeder muss selber geradestehen. Wir leben beide aus eigener Kraft. So denke ich. Ich habe keine Ahnung, was Kathrin Knudson über uns denkt. Wir haben nicht darüber gesprochen.

Das Festland rückt heran.
In den letzten Jahren haben mich meine Aufgaben überwältigt. Meine Termine waren eine Kette bunter Steine. Die Kette hing um meinen Hals und glitzerte. Sie war schwer. Auf der Warft summt die Gegenwart wie ein Bienenstock.

Das gleiche Schiff, der gleiche Platz. Auf dieser Fähre bin ich zur Hallig zurückgekehrt. Auf dieser Bank habe ich Meinsteiners Umschlag geöffnet. Rödel sagt, wenn ich eine Idee habe, stelle ich mich auf den Markt. Was auf dem Marktplatz keinen Bestand hat, kannst du vergessen. Ich will sehen, was es ist. Ob ich verstanden werde. Ich erzähle den Leuten, was ich denke. Ich stelle mir vor, dass ich auf einer dieser weißen Bänke stehe und erzähle, was Meinsteiner geschrieben hat. Wir brauchen ein Erdballministerium. Ein Ministerium, das die Erde im Blick behält. Ein Ministerium, das auf die Erde Obacht gibt. Ein Ministerium, das uns mit der Welt verbindet.

Wäre es nicht großartig, über das Meer zu reisen und der Blick reicht bis zum Horizont, während wir gemeinsam daran glauben, dass die Erde auf einem guten Weg ist?

Gestern Abend habe ich Kathrin Knudson viel erzählt. Wie ich lebe. Warum ich in die Politik gegangen bin. Was ich über Europa denke. Dass unsere Chancen groß sind. Warum wir sie nicht gut genug nutzen. Ich habe unsere Sitzungen beschrieben und die vielen Akten, die ich lese. Mancher Gedanke hat meinen Kopf in dieser Nacht zum ersten Mal verlassen.

Ist es nicht verrückt, dass so viele Sätze mit uns sterben, ohne jemals ausgesprochen worden zu sein? Dass gerade das immerzu Gedachte so oft unser Geheimnis bleibt?

Kathrin Knudson war nicht überrascht. Natürlich, manches hat sie verwundert. Aber auf eine bestimmte Art waren ihr die Dinge nicht fremd. Kathrin Knudsons Fragen sind klug. Sie denkt behutsam und ist entschlossen.

Wir haben auch viel gelacht. Nun ja, der Wein und die Geschichten. Die Geschichten und der Wein. Wir haben über so vieles gesprochen, natürlich war es unvermeidbar; ich habe lange von Rödel erzählt. Von der Badelandschaft, von Rödels Traum, der mit dem Leben tanzt. Von den Surfern auf dem Tor, der Big Band, die es vielleicht nie geben wird. Von Charts und von Rohren. Wie es mit dem Bau läuft. Wie wir immer wieder zusammensitzen.

Kathrin Knudson hat ihren Platz gefunden. Sie will nicht zaubern. Und tut es doch. In ihrer Gegenwart ordnen sich die Dinge neu. Wenn sich Kathrin Knudson in meiner Nähe befindet, weiß ich, was zu tun ist, und sehe mir meine Fehler nach.

Ihr Lachen wiegt alles auf.
Wir wissen im gleichen Augenblick, wenn die Zeit für Worte ihr Ende findet. Auch dies verbindet Kathrin Knudson und mich.

Irgendwann richtete Kathrin Knudson sich auf. Einen Moment lang schien sie nicht sicher zu sein, wie es weitergehen sollte. Kathrin Knudson setzte sich neben mich.

Noch nie habe ich in solche Augen gesehen. Sie funkeln und halten zur gleichen Zeit etwas zurück. Das Funkeln erlischt, der Blick verschwimmt, er scheint sich nach innen zu wenden. Dann sieht Kathrin Knudson mich wieder an und nimmt mich in sich auf. Nichts kann sie in diesem Moment verletzen. Sie ist verletzlich, doch jetzt nicht.
Kathrin Knudson beugte sich zu mir herüber.
Aus Vorsicht, hat sie gesagt, bleiben wir bei den vollen Namen.

Und los!

Der Abschied fällt mir schwer, aber ich weiß, dass ich nicht auf der Hallig bleiben kann. Das Fehlen des Publikums setzt den Politiker außer Kraft. Ich möchte an der Zukunft unserer Gesellschaft mitarbeiten. Ich hoffe, dass mein Beitrag größer sein wird, als er es in den letzten Jahren gewesen ist. Es kommt immer wieder eine Zeit, in der wir unser Leben ändern. In der wir um unsere Verantwortung wissen und aufbrechen. Weil wir spüren, dass wir genug Kraft besitzen. Weil wir wissen, dass es sein muss.

Wann, wenn nicht jetzt?

Gibt es einen besseren Zeitpunkt für diese Frage? Meinsteiner, Rödel und ich. Eine Aufnahme, die nicht existiert. Noch nicht. Wir haben gelernt. Wir wollen unser Wissen nutzen. Immer noch werden alle Kräfte gebraucht.

Ich rufe Rödel an. Wenn ich zurück bin, treffe ich Rödel am Schiffbauerdamm.

Die Flaschenpost ist in der Welt.
Ihre Existenz bringt mich voran.

Der Kapitän manövriert die Fähre in stiller Könnerschaft an ihren Liegeplatz. Mit einem sanften Ruck legen wir an. Am

Ausgang entsteht Gedränge. Nach wenigen Minuten bleibe ich allein auf dem Oberdeck zurück. Ich drehe mich um und sehe noch einmal auf das Meer. Dann steige ich langsam die Treppe hinunter. Im Gastraum wird bereits gefegt. Der Seemann an der Gangway nickt freundlich. Ich gehe über den Anleger. Ich erreiche den letzten Bus. Als sich die Tür schließt, habe ich das Gefühl, die Luft wird knapp. Ich finde einen Platz und blicke aus dem Fenster.

Am Montag werde ich in den Plenarsaal gehen. Ich freue mich darauf, freue mich auf Meinsteiner. Wenn ich komme, wird Meinsteiner schon da sein. Er wird auf seinem Platz sitzen und beiläufig zu mir herüberschauen. Ich werde ihm zunicken und ihn freundlich grüßen.

Meinsteiner denkt an unseren letzten Abschied.
Meinsteiner senkt kaum merklich den Kopf.
Meinsteiner ist bereit und wartet.
Auf meine Frage.
Ich frage nicht.
Nichts.

Ich freue mich auf den Moment, in dem Meinsteiner verstehen wird, dass ich nicht fragen werde. Wenn er begreift, dass ich schweige. Dann mag es seine Zeit dauern. Der neue Meinsteiner kann nicht aus dem alten heraus. Der neue Meinsteiner will wissen, was ich über den Umschlag und seinen Inhalt denke, der alte Meinsteiner gebietet zu schweigen. So werden wir warten. Bis Meinsteiner fragt.
Ein Spiel ohne Bedeutung. Nur ein Spaß.

Ich habe den Bus mit den anderen Fahrgästen verlassen und laufe am Gitter des Parkplatzes entlang. Vier Stunden Fahrt, damit muss ich rechnen. Die Sonne hat den Teer erhitzt. Warum stehen die Langzeitparker so weit vom Anleger entfernt? Bei meinem nächsten Besuch mache ich das anders. Im Winter, sagt Kathrin Knudson, sind die Parkplätze geschlossen. Im Winter ist es über Tage nicht möglich, die Hallig zu verlassen. Wie ein Berggipfel zwischen Wolken ragt die Warft dann aus dem tosenden Meer.

Keine Frau, sagt Kathrin Knudson, schickt eine Flaschenpost. Wir lachen.

Ich starte den Motor.